Fundamentos del Control de la Ira

Anita Avedian,

Terapeuta Familiar y Matrimonial

Traducido por Raquel Molina-Ravenna y Alondra Navarro

Dedicatoria

A mi madre y mi difunto padre, que nunca dejaron de apoyarme en mis esfuerzos. Los quiero mucho a los dos.

Agradecimientos

Muchas gracias a todos aquellos que han ayudado a crear y editar el libro de ejercicios Fundamentos del Control de la Ira, especialmente a la evolución constante y al maravilloso equipo de Anger Management 818.

En primer lugar, doy las gracias a todos los autores colaboradores, que investigaron materiales importantes y ayudaron a crear hojas de trabajo diseñadas para mejorar las habilidades de la gente para lidiar con la ira. Desarrollar más de 50 planes de lecciones por mi cuenta hubiera supuesto un reto para mí, por lo que su colaboración en la creación de material fresco y práctico resulta inestimable. Los autores colaboradores son: Sylvia Cary, MFT; Ingrid Caswell, residente del MFT; Angela Andikyan, residente del MFT; Molly Lyda, MFT; Rachel Thomassian, MFT; y Farnaz Toutouni.

Como se suele decir, hace falta todo un pueblo para escribir un libro. Sin mis editoras, Sylvia Cary, MFT, e Ingrid Caswell, residente del MFT, mi par de ojos adicionales, podrían encontrar faltas de ortografía, errores gramaticales y hojas de trabajo sin sentido. También quiero dar las gracias a Edmon Artinyan, y a Jennifer Liff, por su ayuda en cuestiones no editoriales. Aprecio todos vuestros esfuerzos para hacer de Fundamentos del Control de la Ira una contribución profesional a la disciplina. Gracias a Raquel Molina-Ravenna y Alondra Navarro con la traducción de este libro.

No podría haber realizado nada de esto sin el amor y el apoyo de mis padres. Siempre me han alentado a perseguir mis sueños y no rendirme jamás.

Muchas gracias a mi mentora en el campo, Corie Skolnick, MFT. Siempre la he considerado como alguien que ha cuidado de mis mejores intereses, y que me ha provisto con mucho apoyo y dirección. Cuando se han dado oportunidades en el área, ella me ha animado a conseguirlas, porque le causa gran satisfacción el éxito de los demás. He visto cómo se da incondicionalmente a la gente de su entorno. Esta es una de las razones por las que tantos colegas y amigos la tienen en alta estima, igual que yo.

Quiero reconocer a Laurie Brumfield, que me preguntó hace años si quería comenzar un programa de control de la ira con ella. Sin esta asociación, probablemente no habría participado tanto en el ámbito del control de la ira.

También están Brad Klimovitch y la doctora Kathie Mathis por ayudarme a comenzar la *California Association of Anger Management Providers*, que es en la actualidad la división en California de la *National Anger Management Association*. Un agradecimiento especial a Rich Pfeiffer, presidente de la *National Anger Management Association (NAMA),* por sus consejos en el campo del control de la ira.

Finalmente, quiero reconocer las ideas de George Anderson que han influido en el contenido de algunas secciones de este libro.

TODOS LOS DERECHOS RESERVADOS

ISBN-13: 978-0-9987333-0-2

Publicado por Anger Management Essentials Publishing

www.AngerManagementEssentials.com

Diseño de Cubierta: T.L. Price Freelance
Foto de Contraportada: Morguefile.com

Traducción al español: Asunción Henares

ÍNDICE DE CONTENIDOS

Prólogo

Hagop Akiskal, MD (AΩA)

En una era en que la depresión y el trastorno bipolar se han convertido en parte de nuestro vocabulario diario como trastornos respetables de la mente y del cerebro, existe otro trastorno emocional generalizado que ha sido relativamente dejado de lado. Este libro de Anita Avedian se enfoca en un trastorno de la vida emocional relacional, que no solo puede perjudicar las relaciones interpersonales, sino que también puede llevar a actos violentos.

La lectura atenta de la literatura para el vocabulario, que describa la ira resulta bastante fecunda: mal humor, temperamento, irascibilidad (perder los estribos con facilidad), colérico (que es de hecho uno de los cuatro temperamentos clásicos), irritación, vejación, furia, indignación (ira provocada por lo que se percibe como tratamiento injusto), rabia (que es una enfermedad canina contagiosa, pero que en ocasiones se ve en seres humanos que se vuelven violentos de manera impredecible). Pero ¿no es cierto que nuestra especie es capaz de las emociones más sublimes como la dedicación, la devoción y el amor, y aún así es capaz de odio, animosidad, genocidio, y hasta de matar en nombre de la ideología?

Ciertamente, el alcohol y las drogas, y algunas circunstancias vitales insoportables pueden escalar la ira a extremos violentos tanto en hombres como en mujeres. Sin embargo, esta monografía no trata de estos extremos de ira violenta, sino de la emoción en las vidas diarias de los hombres y las mujeres, que no obstante puede afectar, incluso dañar, las relaciones matrimoniales y la vida familiar.

El tratamiento en un ambiente de grupo, que incluya tanto hombres como mujeres, es ideal para procesar el lado oscuro de la emoción en la vida diaria.

Este libro es muy completo, fácilmente accesible para el lector general. No es doctrinario, y cubre los enfoques psicoterapéuticos más utilizados, logrando su objetivo de ser relevante y útil para un amplio sector de la población adulta que confronta la ira en ciertas fases de sus vidas y psicohistoria.

HAGOP SOUREN AKISKAL, MD (AΩA)

h.c. (Lisboa, Aristotle U),

DLFAPA, FAC Psicología, MRC Psicología (con honores, RU)

Distinguido Profesor de Psiquiatría

University of California en San Diego

Director del International Mood Center

Bienvenido a los Principios Esenciales del Control de la Ira

Embarcarse en un programa de control de la ira puede ser un viaje emocionante, aunque intimidatorio, que iniciar. Puede que usted esté leyendo este libro de ejercicios debido a la petición de un juez, abogado, su lugar de trabajo, o por razones personales. Nos hemos dado cuenta de que puede haber dudas o resistencia a participar, confiando en completar rápidamente los ejercicios sin tomar en cuenta la necesidad o el beneficio de practicar las técnicas aprendidas. A la mayoría de la gente le ha parecido que el contenido de este libro es muy beneficioso y como resultado, han acogido sus ideas y se han sentido motivados a cambiar. Si usted se siente escéptico o nervioso, esperamos que su experiencia acabe siendo similar.

Le alabamos por reconocer la necesidad de cambiar y mejorar la manera en que lidia con la ira. Bienvenido a tomar los pasos necesarios para lograr una vida más feliz y más satisfactoria. Gracias por elegir el libro de ejercicios Principios Esenciales del Control de la Ira. Realmente nos complace ayudar a la gente a crecer y a experimentar importantes avances que creen cambios positivos en sus vidas. Esperamos que esta experiencia le resulte enriquecedora.

Qué Puede Esperar – Para recibir el máximo beneficio de una guía para el control de la ira, le animamos a que practique las técnicas aprendidas. Cuanto antes practique estas técnicas, mejor se le dará incorporarlas a su vida. Si está utilizando esta guía en un programa de control de la ira, le recomendamos que informe a su facilitador sobre su experiencia de poner a prueba las técnicas. Al hacerlo, su consejero podrá enseñarle a utilizarlas adecuadamente.

Por favor recuerde que uno no mejora simplemente por aprender las técnicas. Para alentar el cambio en su comportamiento, es esencial que aplique las técnicas en su vida diaria. Como creadores de esta guía, ponemos nuestra parte de enseñanza y dirección; sin embargo, su compromiso de practicar y hacer los cambios necesarios es vital para su éxito. De manera similar a la pérdida de peso, se puede aprender sobre ello pero a menos que uno haga ejercicio y coma más sano, no logrará su objetivo.

La mejora de sus capacidades para controlar la ira comienza con lo siguiente:

1- Comprometerse a cambiar. *Esto incluye completar las lecciones dentro de esta guía, y practicarlas en su vida diaria.*

2- Ser abierto. Esto incluye entenderse mejor a sí mismo, reconociendo cómo se siente por dentro, percibiendo las señales que le da su cuerpo, y recibiendo las impresiones de los demás.

3- Ser proactivo. *Esto incluye planear con anticipación para evitar provocaciones de la ira y situaciones que llevan a la ira.*

Los componentes clave del Programa de Principios Esenciales del Control de la Ira incluyen:

1- Comprender la Ira

2- Técnicas de Comunicación y Escucha

3- Inteligencia Emocional y Empatía

4- Desarrollo de Relaciones y Límites Saludables.
Comprensión de la Co-Dependencia

5- Control del estrés

6- El Uso de Herramientas de Comportamiento Cognitivo para Mejorar Pensamientos y Creencias.

7- Control de la Ira

8- Olvidar y Perdonar

Formato de Puesta en Común

1. Explique la situación en unas pocas (tres o cuatro) frases.

2. ¿Cómo se sintió?

3. ¿Cuál fue su reacción?

4. ¿Qué le gustaría del grupo? ¿Solo compartir? ¿O compartir y recibir sus impresiones?

Ejemplo 1:

1. Explique la situación en unas pocas (tres o cuatro) frases. *Fui a una entrevista de trabajo. El reclutador dijo que me llamarían a los dos días, pero al segundo día no me habían llamado, así que le llamé. Respondió su secretaria y él no tomó la llamada.*

2. ¿Cómo se sintió? *Me sentí molesto e ignorado.*

3. ¿Cuál fue su reacción? *Llamé cuatro veces más esa tarde y dejé cuatro mensajes a su secretaria para que él me llamara. Entonces llamé por quinta vez y dejé un mensaje diciendo que ya no quería su estúpido trabajo.*

4. ¿Qué le gustaría del grupo? ¿Solo compartir? ¿O compartir y recibir sus opiniones? *Me gustaría saber cómo ustedes piensan, que yo podía haberlo manejado de otra manera..*

Ejemplo 2:

1. Explique la situación en unas pocas (tres o cuatro) frases. *Mi novia me dijo que cree que deberíamos "tomarnos un descanso" y ver a otra gente.*

2. ¿Cómo se sintió? *Me sentí triste, asustado y humillado.*

3. ¿Cuál fue su reacción? *Corté en dos una foto suya que tenía en la cartera y se la tiré a la cara. La grité y le dije que era una fulana. Estrellé su florero favorito en el suelo, salí de su casa y di un portazo.*

4. ¿Qué le gustaría del grupo? ¿Solo compartir? ¿O compartir y recibir sus oniniones? *Solo quiero hablar de lo duro que es que estas relaciones siempre terminen de la misma manera. Estoy harto de ello y creo que nunca voy a encontrar una buena persona con la que estar.*

Comprendamos la Ira

¿Qué es la ira?

La ira es un sentimiento – una emoción humana intensa pero perfectamente normal. Algunos pueden pensar que la ira es un comportamiento, pero no lo es; la agresión es el comportamiento. Podemos sentir la emoción de la ira pero elegir expresarla de diferentes maneras (pasivamente, asertivamente, agresivamente, etc.).

La ira también es una señal. Nos sirve al proporcionarnos información de importancia sobre nosotros mismos y nuestras necesidades en relación con los demás. Por ejemplo, si una amiga llegara media hora tarde para comer contigo, y te sintieras enojada porque ha llegado tarde, entonces tu ira sirve de señal: la puntualidad es un valor importante para ti.

Finalmente, la ira es energía. Como energía, nos proporciona el impulso y la determinación para tomar acción, así como para enfrentar situaciones difíciles. Por suerte, nosotros tenemos el poder de decidir cómo canalizar, o dirigir, la energía de la ira de maneras más productivas.

Cómo Funciona la Ira Fisiológicamente

Su cuerpo opera de una manera muy específica cuando siente ira. Lo primero que sucede es que se liberan químicos neurotransmisores localizados en su cerebro llamados *catecolaminas*, causando una corriente de energía en su cuerpo que puede durar hasta varios minutos. Durante este tiempo, se pueden percibir varios síntomas físicos, como respiración rápida, mayor presión arterial, ritmo cardiaco acelerado y tensión muscular. Adicionalmente, la sangre fluye hacia las extremidades en preparación para la acción física. Mucha gente experimenta como su atención se concentra en el objetivo de su ira y a veces se enfurece. Poco tiempo después, se liberan hormonas como la adrenalina y la no-adrenalina, y neurotransmisores del cerebro adicionales, desencadenando un estado mayor de excitación. Con esta explosión de energía física, usted está listo para la acción inmediata; está listo para luchar.

Dada esta información, es fácil ver lo rápido que se puede perder el control de la ira. Sin embargo, es ciertamente posible aprender a retomar el control, simplemente entendiendo cómo funcionan la amígdala y el lóbulo frontal. La amígdala es una masa en su cerebro de forma almendrada que maneja las emociones —se relaciona con la supervivencia. Nos hace reaccionar antes de que podamos pensar realmente en la situación. El lóbulo frontal, por otra parte, ubicado justo detrás de su frente, maneja el juicio. Es responsable de regular su comportamiento y de tomar decisiones. El lóbulo frontal izquierdo, en concreto, puede desactivar sus emociones, manteniendo las cosas bajo control. Básicamente, estamos programados para reaccionar antes de que podamos realmente pensar en las consecuencias de nuestros actos. Por tanto, cuanto más aprenda acerca de las maneras en que su lóbulo frontal puede dominar a su amígdala, más control tendrá en respuesta a su ira.

La Fase de Relajación Progresiva de la Ira

La ira puede durar mucho tiempo – horas, a veces hasta días – y puede llevar algún tiempo relajarse después de un episodio de ira. Por eso existe una fase de relajación progresiva. Durante esta fase, empezamos a relajarnos de vuelta a nuestro estado natural de reposo. Por lo general durante este tiempo el objetivo de nuestra ira ya no se encuentra accesible ni supone una amenaza inmediata. Tenga en mente que este periodo de enfriamiento requiere tiempo, y nuestro umbral de la ira es más bajo de lo habitual durante esta fase. Lo que esto quiere decir es que hay más probabilidades de que nos enfademos mucho en respuesta a irritaciones menores que normalmente no nos molestarían.

Además, es importante saber que los niveles altos de excitación disminuyen significativamente su capacidad de concentración. Ya que sentirá una excitación residual durante la fase de relajación progresiva, le puede resultar difícil recordar con claridad los detalles de una explosión de ira.

La Ira Como Emoción Secundaria

Aunque puede que no nos demos cuenta, sentimos otras emociones antes de la ira. Estas emociones precedentes son conocidas como emociones primarias. Algunos ejemplos de emociones primarias son: el miedo, la ansiedad, la vergüenza, la tristeza, la frustración, la culpabilidad, la decepción, la preocupación, los celos, la humillación, el dolor, la impotencia y la inseguridad.

He aquí un ejemplo: Digamos que alguien está conduciendo pegado a tu vehículo mientras manejas. El conductor lo está poniendo en peligro, y usted se siente amenazado. La ira es uno de los dos sentimientos que surgen. El miedo es el otro. ¿Cual sentimiento es, entonces, la emoción primaria: la ira o el miedo? El miedo. El miedo es la emoción natural, primordial, de la respuesta a sentirse amenazado. La ira es la respuesta secundaria, de protección. Sin la ira, todo lo que tiene es miedo frente al peligro. La ira, después de todo, es la energía de la acción y le ayuda a decidir qué hacer.

Una Reacción de Ira Saludable

La ira tiene sus beneficios. A su nivel más básico de funcionamiento, se puede utilizar para protegernos a nosotros mismos y a nuestros seres queridos. La ira puede mejorar relaciones al abrir líneas de comunicación. Además, nos puede ayudar a sentirnos más fuertes y saludables.

Sabiendo que la ira es de por sí una emoción humana saludable, ¿cómo podemos responder a situaciones difíciles mediante una reacción de ira saludable? Volvamos al ejemplo anterior del conductor manejando pegado al vehículo para demostrarlo. Si alguien conduce pegado a su vehículo y su seguridad se siente amenazada, pruebe a hacer lo siguiente: simplemente reduzca a una velocidad que haga que el conductor se le adelante. Si hay un accidente, habrá menos daños gracias a la velocidad reducida.

Esta es una opción saludable desde la perspectiva del aprendizaje sobre la ira. Por un lado, le da una manera de comunicar a los que conducen pegados a su cola que no le gusta lo que están haciendo, y además les muestra que no se va a dejar intimidar y conducir más deprisa o peligrosamente para apartarse de su camino. Además, está expresando su necesidad de seguridad sin exhibir hostilidad.

Necesitamos multitud de opciones para lidiar con nuestra ira. El ejemplo anterior es solo una manera saludable de lidiar con una situación difícil. Algunos consejos a seguir:

1. Identifique por qué está enfadado.
2. Decida qué problema enfrentar.
3. De prioridad a lo más importante para usted.
4. Cree un plan de acción que de los mejores resultados.

Un comentario final es que la ira surgirá de vez en cuando, y cuando lo haga, recuerde: usted tiene el poder de elegir cómo responder a su propia ira. Cada día, usted tiene la oportunidad de practicar la expresión de su ira de maneras cada vez más saludables.

IRA, AGRESION Y FURIA: ¿Cuál es la diferencia?

¿Por qué la gente dice a veces, "Me estoy enojando," pero no "Me está entrando la furia"? ¿En qué se diferencian la ira y la furia? ¿Y cuándo entra la agresión en la conversación? A menudo empleamos las palabras ira, agresión y furia de manera intercambiable, pero en realidad son muy diferentes. Comprendiendo las diferencias entre la ira, la hostilidad y la furia es esencial para el desarrollo de hábitos psicológicos saludables y la eliminación de los tóxicos. Aunque comparten algunas cualidades, muchas de las siguientes características de la ira, la hostilidad y la furia son diferentes en cada caso:

- ➢ A qué responden
- ➢ Cuánto tardan en desarrollarse y en sosegarse
- ➢ Sus efectos físicos
- ➢ Su proporcionalidad a la provocación
- ➢ A quién asignan la responsabilidad
- ➢ La intención que tienen
- ➢ El efecto que tienen en los sentimientos de los demás
- ➢ El resultado al que llevan

Primero, veamos cómo estos principios definen la IRA :

RESPUESTA A... La ira es un sentimiento. Es una **respuesta emocional saludable y natural al agravio o la intrusión**. La ira genuina puede ser una respuesta al agravio, la frustración, la decepción o la amenaza (real o imaginada). Es una señal, o alarma, de que algo no anda bien, de que no nos sentimos bien con lo que estamos observando. El don de la ira es que nos motiva y nos da la energía y confianza para hacer cambios valiosos en nuestras vidas. La expresión de ira consiste en la notificación controlada de que nos sentimos amenazados de algún modo. Se comunica de manera asertiva, sin histeria: "Estoy enojado, ésta es la razón, y esto es lo que necesito..." Sobre todo, la ira es sobre algo que está sucediendo en el momento presente, o casi presente.

TIEMPO... La ira se desarrolla poco a poco, posiblemente a lo largo de horas o días. Se sosiega rápidamente, una vez termina la provocación, por lo general entre 30 segundos y dos minutos después. Es breve y después liberada con una sensación de placer.

EFECTOS FÍSICOS... El sistema nervioso parasimpático se encarga de la ira, el mismo sistema responsable de actividades de reposo o de nutrición como la salivación, la digestión de alimentos, dormir o tener sexo. Piense en estas funciones como actividades placenteras que suceden cuando el cuerpo está en reposo. Cuando experimentamos ira genuina, nuestra respiración se hace más profunda, nuestra visión más enfocada, tenemos una cálida sensación en la piel, nuestros movimientos son más fluidos y nuestra memoria se aclara.

PROPORCIONALIDAD A LA PROVOCACIÓN... La ira es sobre algo que sucede en el momento presente, y por tanto su expresión es proporcional al acontecimiento.

ASIGNA LA RESPONSABILIDAD... Alguien que experimenta ira genuina se responsabiliza del sentimiento. "Cuando **me** enteré de que le diste la promoción a tu novio recién contratado, pensé que todos mis años de duro trabajo en esta compañía no eran valorados, y **me** sentí enojado." Por lo tanto "Cuando sucede esto, **yo** estoy enojado," no "**Tú** me estás haciendo enojar."

El enojo proviene de la aceptación –como opuesto a la negación- de que lo que ha pasado, ha pasado. Tenga cuidado de no confundir "aceptar" con "gustar". ¡A menudo los confundimos porque solo aceptamos lo que nos gusta!

INTENCIÓN... La expresión de la ira saludable tiene que ver con la conexión. Busca obtener la atención del que escucha, informar, implicar y comunicar. Además, el enojo no exige una respuesta específica. Deja que las cosas evolucionen libremente sin necesidad de controlar el resultado. Todas las respuestas a la ira expresada de modo saludable se consideran información valiosa para tomar decisiones sobre el futuro de la relación.

EFECTO EN LOS SENTIMIENTOS DE LOS DEMÁS... La ira hace que salgan a la luz los sentimientos del otro. Las afirmaciones en primera persona crean el espacio y la confianza para que la otra persona participe en una comunicación saludable sin ponerse defensiva. "No era mi intención hacer que te sintieras subestimado aquí. Entiendo que pueda parecerte de esa manera. Lo cierto es que te valoro mucho. De hecho, han salido dos puestos a la vez. Vas a saltarte un nivel y serás promocionado por encima de mi novio."

RESULTADOS... El enojo saludable tiene como resultado que uno se siente auténtico y que se ha expresado de verdad. En el mejor de los casos, el enojo acerca más a la gente y les permite satisfacer sus necesidades. En el peor, nos ayuda a establecer límites con los demás. Si su jefe dice, "Tienes razón, no valoro tus esfuerzos en esta compañía," esto es información esencial que puede utilizar para establecer un límite para sí mismo. Quizá decida que quiere conseguir un trabajo diferente donde sea apreciado.

Veamos ahora como **se compara la Agresion** de la Ira, utilizando los mismos principios.

RESPUESTA A... La Agresion es un comportamiento. Es una manera ofensiva de comportarse verbal, emocional o físicamente. Como el enojo, la hostilidad es una respuesta a una percepción de insulto, injusticia o conducta equivocada, sin embargo, la hostilidad se percibe de modo muy diferente a la ira. Esto se debe a la diferencia en la manera que una persona *percibe* las intenciones de otra. Examinemos un ejemplo de agresión , como opuesto a la ira, en respuesta a una percepción de amenaza. Mientras un actor está filmando una escena de una película, el director de iluminación está caminando por detrás de la cámara, en la línea visual del actor. El actor se distrae y tiene que parar la escena. Es demasiado difícil concentrarse en todo lo que debe hacer para actuar bien (recordar sus líneas, entrar a escena en el momento adecuado, pretender que la cámara no está allí, etc.) con el director de iluminación distrayéndole también. Si el actor percibe que el director de iluminación está siendo intencionalmente grosero y desconsiderado o intentando arruinar su actuación, el actor se sentirá provocado a expresar agresión . Puede ponerse verbal o emocionalmente ofensivo o atacar al director físicamente, mientras que con el enojo saludable, el actor no se enfocaría en la intención del otro, y en vez de eso se enfocaría en sus propios sentimientos, y sería capaz de decir, "Haz el favor de no dar vueltas durante la filmación. Me distrae demasiado."

ASIGNA LA RESPONSABILIDAD... La agresión culpa al otro por los sentimientos propios. Percibe los actos del otro como deliberadamente ofensivos o desconsiderados.

TIEMPO... Como puede imaginar, la hostilidad es impulsiva y por tanto sobreviene rápidamente. Y debido a que esta causada por grandes cantidades de cortisol y de adrenalina que son expulsadas al sistema del cuerpo, puede llevar un tiempo para sosegarse —horas, hasta días- mientras el cuerpo se esfuerza por procesar la sobrecarga química.

EFECTOS FÍSICOS... La hostilidad se activa en el sistema nervioso simpático (de lucha o huida), en el cerebro ancestral conocido como la amígdala. Este sistema es responsable por la estimulación de actividades que preparan el cuerpo para la acción. Cuando hay una amenaza, el cerebro envía una señal a la glándula pituitaria, y se liberan cortisol y adrenalina en grandes cantidades. Cuando llegan a la corriente sanguínea, ocurre lo siguiente: el ritmo cardiaco aumenta; el cuerpo tiembla; nuestro campo visual se concentra, sufrimos pérdida auditiva; y nuestra digestión se ralentiza (esto tiene sentido porque la digestión es controlada por el sistema nervioso parasimpático, que no puede funcionar cuando el sistema nervioso simpático está al mando.)

¿Por qué hacen esto nuestros cuerpos? En la era de las cavernas, estaba bien poder luchar o huir de ello. Cuanto más fuerte era el sistema nervioso simpático, mejor. Ya no enfrentamos este tipo de amenazas en la sociedad moderna, pero nuestros cuerpos no han cambiado. Si observamos la conducción agresiva, John Doe va sentado en su coche sintiéndose con todo el derecho a su pedacito de carretera y a la manera en que quiere conducir. Si alguien invade el espacio de John o toma decisiones que no le benefician, John se siente amenazado. La "furia del conductor" tiene lugar cuando el cuerpo de John se prepara para enfrentar una amenaza en una situación donde no es posible actuar. En el caso de alguien a punto de correr en un maratón, es muy útil que el ritmo cardiaco y los niveles de adrenalina se disparen, pero si John está sentado en una congestión vehicular sin ningún sitio al que ir, es una receta para el desastre.

PROPORCIONALIDAD A LA PROVOCACIÓN... La hostilidad es excesiva y desproporcionada al acontecimiento.

INTENCIÓN... La hostilidad tiene la intención de causar daño emocional o físico. Quiere asustar, castigar, o manipular al otro.

EFECTO EN LOS SENTIMIENTOS DE LOS DEMÁS... Los sentimientos de los demás son pisoteados.

RESULTA EN... La agresión es muy aislante porque la gente aprende a andar con cuidado alrededor de usted, o eligen poner punto final a su relación con usted. La hostilidad puede resultar en graves problemas domésticos, laborales y legales. También es responsable de problemas de salud como dolores de cabeza, problemas de digestión, insomnio, ansiedad, depresión, presión arterial alta, problemas cutáneos (eczema), ataques al corazón y derrame cerebral.

Por tanto, ¿qué grado tiene la furia? Como mencionamos con anterioridad, los términos "ira," "agresión ," y "furia" a menudo se emplean de manera indistinta, pero con el propósito de distinguirlos, es más fácil pensar en la furia como en un problema de matemáticas, donde la ira y la agresión no expresadas están presentes conjuntamente en su forma más intensa:

(ENOJO + AGRESIÓN) x 10 = FURIA

FURIA

RESPUESTA A... La furia es una respuesta a una amenaza al orgullo, la posición o la dignidad. Las raíces de la furia están en la infancia, cuando un niño era impotente frente a adultos o niños más mayores abusivos. Cuando algo en el momento presente provoca un antiguo recuerdo, la reacción es al recuerdo, no al acontecimiento presente. Por tanto la conducta es aterradora, inesperada y parece fuera de lugar. La furia no es un sentimiento, es una defensa de emergencia activada en el sistema nervioso simpático, de lucha o huida. Cuando la furia es provocada, se estimulan las áreas de "reconocimiento de conflicto" en el cerebro emocional –o la amígdala-, y pierden su conexión con la parte ejecutiva del lóbulo frontal, que es responsable de la toma racional de decisiones. La furia puede ser activada por una señal externa, como el asesinato de un ser querido. O la furia puede estallar después de un proceso de acumulación de muchas iras no expresadas y ofensas percibidas. Cuando estamos poseídos por la furia, creemos que alguien está tratando deliberadamente de instigarnos y que necesitamos "igualar el marcador."

La furia puede ser una respuesta a la vergüenza, el abandono, la exposición, el poder y el control, y la desinhibición. Examinemos cada una de ellas detalladamente.

Vergüenza: un sentimiento de inadaptación y una incapacidad para justificar la propia existencia. (La culpa dice, "Hice algo malo. Deja de hacerlo." La vergüenza dice, "Soy malo. No debería existir"). La vergüenza es un sentimiento intolerable, y la furia es una manera de escapar de él. Sin embargo, la furia es una causa futura de vergüenza, y esto perpetúa el ciclo vergüenza-furia.

Abandono: Que nos dejen o nos dejen de lado es algo devastador cuando somos niños, y mucha gente acarrea esa herida a su vida adulta. Cuando el abandono no se sana, hasta una separación temporal de la pareja que se va al trabajo puede provocar una furia reactiva. Para algunos, una diferencia de opinión puede ser un desencadenante de la furia.

Exposición: Esto ocurre cuando un acontecimiento destapa pruebas de que algo que la persona enfurecida ha estado negando es realmente cierto.

Poder y control: Debido a que la furia intimida a los demás, la persona enfurecida consigue poder y control, lo que se convierte en un aliciente para más furia. Esto es especialmente evidente en el abuso doméstico.

Desinhibición: La persona enfurecida experimenta un aumento de adrenalina. La adrenalina disminuye la inhibición.

TIEMPO… La gente dice "Me estoy enojando," pero no dice "Me está entrando la furia". Eso es debido a que no hay un progreso con la furia. Es una reacción de lucha o huida, se expulsan poderosos químicos a la corriente sanguínea que secuestran cuerpo y mente de inmediato. La furia es instantánea. Una vez la adrenalina llega a la corriente sanguínea, sus efectos duran 1-2 horas. A menos que se practique activamente, la tensión muscular no puede revertirse rápidamente. La furia permanece durante mucho tiempo después de que haya terminado la provocación.

EFECTOS FÍSICOS… La furia crea tensión muscular, palpitaciones, respiración rápida y superficial, palidez de la piel, restricción del campo visual, y una memoria seriamente dañada, cuando no un total bloqueo de la misma. De aquí viene la expresión "furia ciega". La gente enfurecida puede ser capaz de hacer cosas que parecen físicamente imposibles. El flujo de adrenalina aumenta la fuerza física, eleva los niveles de resistencia y atenúa la sensación de dolor. Después de un episodio de furia, la persona con frecuencia no lo recuerda, lo que contribuye a la falta de reconocimiento.

PROPORCIONALIDAD A LA PROVOCACIÓN… Aunque la furia pueda ser provocada por un acontecimiento presente, la reacción enfurecida es excesiva y desproporcional a la situación. Esto se debe a que la furia es sobre algo que sucedió hace mucho tiempo de lo que no se ha sanado, y por eso es aparentemente exagerada y fuera de lugar. Esto es lo que quiere decir la expresión "Si es histérico, es histórico."

ASIGNA LA RESPONSIBILIDAD... La furia culpa al otro y percibe las acciones del otro como si fueran intencionalmente ofensivas y desconsideradas.

INTENCIÓN... La furia quiere controlar y silenciar al otro.

EFECTO EN LOS SENTIMIENTOS DE LOS DEMÁS... La furia arrasa con los sentimientos de los demás. Con frecuencia los demás deciden separarse por completo de estas personas.

RESULTA EN... Pérdida de trabajos, libertad, y relaciones. Las creencias y principios que la persona enfurecida ha desarrollado durante su vida son inaccesibles. Se abandonan los acuerdos previos. Se deniega el historial de vinculación emocional, cariño, buena voluntad o placeres compartidos.

Si la furia tiene lugar más de una o dos veces al año, dominará la dinámica de cualquier relación. La furia se puede convertir en una adicción, porque funciona. Si usted es una persona aterradora e intimidante, la gente se acobarda y usted consigue lo que quiere. Pérdida de identidad: por un tiempo, la persona enfurecida carece de personalidad, es una entidad defensiva en guerra con el mundo.

RESUMEN

IRA	HOSTILIDAD	FURIA
Sentimiento	Conducta	Conducta Extrema
No-Violenta	Posiblemente Violenta	Violenta
Saludable	No Saludable	No Saludable
Controlada	Fuera de Control	Fuera de Control
Pensamiento Lúcido	Pensamiento Incoherente	Bloqueo de Pensamiento
Participatoria	Abusiva	Destructiva
Segura	Insegura	Posiblemente Letal
Rápida y liberada con placer	De larga duración y mantenida con resentimiento	De larga duración y mantenida con resentimiento
Acepta lo que ha sucedido	Deniega lo que ha sucedido	Deniega lo que ha sucedido

¡AYUDA! ¿QUÉ PODEMOS HACER RESPECTO A LA IRA?

"AFÍRMELA. DÓMELA. DIRÍJALA."

Afirmarla: Aceptar (lo opuesto de rechazar) la legitimidad de los propios impulsos para protegerse a sí mismo y reconocer los efectos de la ira en el cuerpo.

Domarla: Trasladar los impulsos para protegerse a sí mismo desde el sistema simpático o de la furia al parasimpático o sistema de participación social. Esto significa por lo general hacer algún ejercicio corporal. Domar también significa desarrollar la capacidad de aguantar la ira el tiempo suficiente como para articularla en forma de respuesta humana.

Dirigirla: Dirigir la energía de la ira mediante el sistema de participación social para eliminar la causa de la ira. Es un movimiento hacia una meta constructiva. ¡Guardarse la ira no es dirigirla! Dirigirla puede incluir la protesta, pero quejarse de modo que quede claro que el que se queja no está preparado participar en una solución se le conoce como gimotear, y eso tampoco es dirigir la ira.

Use el LÍMITE CONVERSACIONAL

INFORMACIÓN SENSORIAL (Conducta Observable):

*Cuando vi…

*Cuando escuché…

PENSAMIENTOS (Hable siempre desde la primera persona, "yo".):

*Lo que entiendo sobre esto…

*Lo que creo sobre esto…

*Lo que esto ha desencadenado de mi pasado es…

EMOCIONES (Las emociones se generan a partir de nuestros pensamientos):

*y sobre eso me siento…

EN EL FUTURO (Petición Vulnerable):

*Lo que me gustaría/preferiría es…

-Pia Mellody

10 CONSEJOS PARA LA IRA

1- Piense antes de hablar.

2- Una vez esté calmado, exprese su ira.

3- Haga algo de ejercicio.

4- Tómese un descanso.

5- Identifique posibles soluciones.

6- Hable en primera persona.

7- No guarde rencor.

8- Use el humor para liberar tensión.

9- Practique técnicas de relajación.

10- Sepa cuando buscar ayuda.

¿QUÉ PODEMOS HACER CON LA AGRESIÓN?

CONDICIONAMIENTO CLÁSICO (Terapia del Comportamiento)

La desensibilización es una clase de condicionamiento que cambia la relación entre un estímulo y una respuesta. Empareje la crítica social (coches pitando, insultos y gritos) con un comportamiento relajante (cantar). Esto extingue la relación entre la crítica social y la agresión.

ELIMINE EL ALCOHOL Y OTRAS DROGAS

El alcohol, los estimulantes, los esteroides anabólicos y la marihuana deterioran la percepción y alteran los estados de ánimo. Durante las últimas etapas de dependencia, el alcohol causa una disminución de los niveles del neurotransmisor serotonina. Estudios con roedores y primates muestran que cuando la serotonina no está disponible o se impide su transmisión, los animales se vuelven agresivos e impulsivos. Las ratas con niveles bajos de serotonina atacan y matan otros roedores.

TERAPIA DE GRUPO

La agresión es una técnica de afrontamiento aprendida por personas con una historia de abuso y negligencia. Los niños entre los 8 y los 14 años deciden no volver a acercarse o ser herido por nadie nunca más. Por ejemplo, un padre le pega a su hijo con un cinturón cuando el padre está borracho. El hijo decide a los 12 años que esto no va a suceder más. Cuando el padre viene a por él con un cinturón, el hijo lo ataca físicamente. Este mecanismo de supervivencia sigue al chico hasta su vida adulta. En terapia de grupo, se reproduce la dinámica familiar del hijo adulto que puede retar al terapeuta a que le confronte. Cuando observa que el terapeuta y otros miembros del grupo no le responden como lo hizo su padre, el grupo se convierte en una manera sanadora de recuperación.

TERAPIA COGNITIVA

Este enfoque aborda cómo las creencias subyacentes de las personas sobre sí mismos, el mundo, y su futuro, además de sus pensamientos automáticos, desencadenan sentimientos.

Por ejemplo, la creencia central de que el mundo es un lugar peligroso se cambia por una más útil, moderada, y realista.

TERAPIA DE RELAJACIÓN

La Relajación Muscular Progresiva (PMR), la Meditación, la Imaginación Guiada, la Respiración Rítmica y la Respiración Profunda sirven para reforzar la respuesta de relajación.

TERAPIA ORIENTADA A LA PERCEPCIÓN INTERIOR

Esto es efectivo cuando la agresión es parte de un tema de desarrollo temprano como el abandono. La furia del apego se desarrolla cuando una persona ha tenido alguna figura parental que le ha rechazado y ha utilizado la amenaza y la distancia para disciplinarle. La terapia orientada a la percepción ayuda a que la persona conecte los puntos del pasado infantil al presente adulto. Los problemas de negligencia y abuso parecen estar orientados al hemisferio derecho; la terapia orientada a la percepción estimula el hemisferio derecho.

¿QUÉ PODEMOS HACER SOBRE LA FURIA?

Disminuir el tono simpático y aumentar el tono parasimpático mediante ejercicios de respiración, estiramientos, Pilates y yoga. Aumentar el control de movimientos sutiles para reforzar la conexión entre las áreas ejecutivas del lóbulo frontal y el sistema límbico mediante: ejercicio corporal, Pilates, yoga, artes marciales, y ejercicios mentales (Brain Gym®)

MEDICACIÓN

Cuando hay un trastorno psiquiátrico, como depresión, presente con la furia, la medicación puede prevenir los estallidos de furia. Los antidepresivos (es decir, los inhibidores selectivos de recaptación de serotonina, o ISRS), los estabilizadores del ánimo como el litio o los que combaten las convulsiones, y los antipsicóticos aumentan la actividad del lóbulo frontal, lo que reduce la agresión impulsiva.

COMPAÑERO SOBRIO

El deber principal de un compañero sobrio es mantener al adicto a la furia emocionalmente sobrio. Proveen cuidados las 24 horas o cuando se les llama y/o acompañan al adicto en recuperación durante actividades que les estresan. Los compañeros utilizan la dieta, el ejercicio, la distracción, la meditación, la acupuntura, la oración y la afirmación, y los ajustes quiroprácticos. El tratamiento de compañero sobrio dura por lo general 30 días o más. Idealmente, la presencia del compañero en la vida de una persona en recuperación disminuirá a medida que se compruebe la capacidad del adicto para enfrentar la familia, el trabajo, y los problemas legales.

DISMINUYA LA VERGÜENZA

La vergüenza es el motor de la negación de la realidad, que alimenta la furia.

IDENTIFIQUE LA NEGACIÓN

La negación es no aceptar que algo que ha sucedido realmente ha ocurrido. La negación continuada nunca es estable porque los actos y las declaraciones de los demás la amenazan. Cuando esto sucede, estalla la furia y la dinámica de lucha o huida. Una vez se apacigua la furia, la negación de la realidad se forma de nuevo, quizá reforzada con vergüenza acerca del estallido. Otras personas afectadas por la furia aprenden a no contradecir la negación. Este es un proceso que se perpetúa a sí mismo.

IDENTIFIQUE RESENTIMIENTOS

La negación y el resentimiento están relacionados. La negación es la desconfianza de que algo que ha sucedido, realmente ha ocurrido El resentimiento es la creencia de que algo que ha sucedido no debería haberlo hecho. La razón más justificable para esta posición es la creencia de que sucedió gracias a la maldad de alguien más (y debería ser revertido por algún juez imaginario). El resentimiento es una defensa psicológica que se utiliza para ocultar una necesidad o deseo que parece demasiado doloroso como para reconocerlo. Para disolver el resentimiento, es necesario descubrir y admitir lo que se quiere o quería de verdad.

Una Vía de Recuperación

Hay muchas consecuencias de la ira. Ponga una marca al lado de las consecuencias negativas que le resulten familiares. Si está en recuperación de la ira, ponga una marca junto a las consecuencias positivas que pueden aplicarse a usted.

Consecuencias Negativas de la Ira	Consecuencias Positivas de la Recuperación (o de la calma)
AIRADO	CALMADO
Sospecha	Confianza
Resentimiento	Perdón / Soltar
Inseguridad	Seguridad
Complacencia	Auto Reflexión
Necesidad de Control	Renuncia Positiva
Reactivo	Genera Respuestas
Acusatorio	Empático
Asume	Hechos
Impulsividad	Paciencia
Ganar/Perder – Competitividad	Ganar/Ganar – Cooperación
Agobiado	Maneja el estrés - o Administración del Tiempo
Estilo de Comunicación Agresivo o Pasivo-Agresivo	Estilo de Comunicación Asertivo
Pensamiento Excluyente	Pensamiento Integrador
Límites Vagos	Límites Saludables
Codependencia	Interdependencia

Repase los retos de las consecuencias negativas.

¿Cómo puede progresar hacia las consecuencias positivas?

¿En qué sería su vida diferente?

Ventajas de Trabajar con Mi Ira

Para convertirse en una persona más calmada, es importante que primero evalúe su nivel de motivación, y las razones para querer cambiar. De lo contrario, puede que sienta resistencia a la información en este libro de ejercicios.

Para empezar, liste a continuación sus razones para cambiar. Habitualmente, la gente quiere cambiar porque hubo un incidente que llevó a la pérdida de un trabajo, o una relación, o a algún problema con las autoridades. ¿Cuáles son las razones para que quiera trabajar con su ira en este momento?

1- _____

2- _____

3- _____

4- _____

En una escala del 1 al 10, donde 10 quiere decir muy motivado, y 1 nada en absoluto, ¿cómo puntuaría su nivel de motivación para trabajar con su ira?

1	2	3	4	5	6	7	8	9	10

En una escala del 1 al 10, donde 10 quiere decir muy dispuesto, y 1 no dispuesto en absoluto, ¿cómo está de dispuesto a cambiar sus reacciones cuando se enfada?

1	2	3	4	5	6	7	8	9	10

Muchos clientes se registran en un programa de manejo de la ira ya sea porque deben hacerlo, o debido a un incidente. Trabajar con su ira es un proceso en continuo desarrollo. Una estrategia para ayudarle a seguir motivado es recordarse todas las razones por las que quiere ser una persona más calmada y comprensiva, y reducir su conducta hostil.

Algunas razones habituales por las que la gente desea trabajar con su ira son:

1- Mi ira asusta a mi pareja, y no quiero asustar a la gente.

2- He perdido varios trabajos debido a mi ira. Es hora de que cambie.

3- Ser más abierto y comprensivo hace las cosas mucho más fáciles.

4- Quiero dormir mejor por la noche.

5- Mi salud y mi presión arterial van a mejorar.

En la siguiente sección, haga una lista de las ventajas de estar más calmado y ser más comprensivo:

1- _____

2- _____

3- _____

4- _____

5- _____

6- _____

7- _____

8- _____

Añada a esta lista cada vez que piense en ventajas adicionales. Es útil tenerla en su aplicación de notas en el teléfono, para que la lista esté disponible cuando quiera leerla.

El propósito de leer su lista de ventajas a diario durante el próximo mes es ayudarle a adaptarse a la mentalidad de contar con un nuevo enfoque. Los días que lea esta lista puede que tenga una actitud mejorada hacia los que le rodean, y hacia la vida en general.

Manifestaciones de Ira en Los Diferentes Niveles

La ira es sigilosa traicionera y no se da cuenta que este enojado hasta que aparecen las síntomas. La siguiente lista le da varias indicaciones que la ira se manifesta en numeros grados: física, emocional, comportamiento, y cognitivo. El familizarse con los síntomas le ayudarán a controlar su ira, porque entre más pronto los reconoce, más pronto los puede tratar efectivamente. Por otro lado, si no los trata temprano, se puede decir a sí mismo "voy a 10 en un segundo" y se siente débil y con duda de que puede cambiar. Usa los espacios en blanco abajo para agregar síntomas que no están en la lista.

COGNITIVO

- "Qué está pensando? Cómo no se ha dado cuenta?"
- "O no, ya no aguanto."
- "No puedo hacer esto"
- "Me quiere hacer dano"
- "No triunfaré"
- "No puedo hacer esto" "
- "Ella lo hizo a propósito"
- "Nadie ayuda"
- "Está arruinando la vida. Es su culpa"
- "Ella es muy egoista. Sólo le importa a ella"
- "El debería saber. Se lo he dicho mil veces."
- "El debe cambiar, yo no"
- "Esto es demasiado"
- "Necesito ayuda"

COMPORTAMIENTO

- Inquietud
- Respuestas cortas
- Comer much o poco
- Beber en exceso
- Ira en las carreteras
- Cambios en actividad sexual
- Falta de atención
- Distanciarse de los demás
- Aislamiento
- Falta de memoria
- Fumar o usar drogas
- Indecisión
- Lenguage profan
- Falta de hygiene
- Descuido en el hogar o la oficina

EMOCIONAL

- Desconfianza
- Depresión
- Irritabilidad
- Desesperanza
- Baja autoestima
- Impaciencia
- Negatividad
- Ansiedad
- Mal genio
- Apatía
- Confusión/Conflicto
- Miedo
- Resistencia
- Sospecha

FÍSICA

- Presión arterial alta o baja
- Contracción del ojo
- Palpitaciones (Corazon)
- Náuseas
- Indigestión
- Fatiga
- Manos temblorosas
- Dolor en el pecho
- Músculos tensos
- Cuello tenso
- Contraer la mandibula
- Insomnia
- Dolor de cabeza

Fuentes Principales de la Ira: La Ira Dirigida hacia Fuera o hacia Dentro

Para entender la ira, es útil identificar sus dos fuentes principales, la amenaza y la frustración.

1- Amenaza –Nos sentimos amenazados cuando creemos que nuestro poder personal está en juego.
2- Frustración –Nos sentimos frustrados cuando nuestras necesidades no son satisfechas.

Cuando nos sentimos amenazados o frustrados, también nos sentimos impotentes o heridos, lo que a menudo lleva a un estado de ansiedad. La ansiedad es un estado intolerable, y hacemos todo lo que podemos para aliviar la tensión. Lo que hagamos depende de las siguientes situaciones:

a. Si sentimos que nos merecemos la situación, podríamos empezar a sentir remordimientos, y como resultado, culparnos a nosotros mismos. Aquí es donde nos volvemos hacia adentro y nos enfadamos con nosotros mismos. Consecuentemente, esto lleva a una mayor ansiedad y más sentimientos de dolor e impotencia.

b. Si no nos parece que merecemos la situación, puede que expresemos nuestra ira exteriormente. Esto podría incluir culpar a otros, gritar, herir físicamente a otros, o romper cosas.

c. Algunas maneras saludables de expresar nuestros sentimientos de ansiedad podrían ser la comunicación asertiva, la respiración profunda, o el ejercicio físico. Sería difícil aprender de la experiencia si no compartimos nuestros sentimientos o encontramos medios saludables de liberar la tensión.

d. Es normal que algunas personas dirijan su ira hacia fuera, y otras, hacia dentro. Cuando la ira se dirige hacia fuera, nos arriesgamos a herir a los demás y perder nuestro sistema de apoyo. Cuando la ira se dirige hacia dentro, nos herimos a nosotros mismos, y podemos deprimirnos.

e. Veamos algunos ejemplos de ira dirigida hacia fuera frente a ira dirigida hacia dentro:

Ira Dirigida hacia Fuera	Ira Dirigida hacia Dentro
Expresa la ira verbalmente- grita	Se siente disgustado
Manipula	Uso de sustancias
Controla a los demás	Se siente desgraciado
Hostilidad	Se siente herido
Puños apretados en presencia de otros	Se siente culpable
Insultante	Se siente inferior
Intimidación	Baja autoestima
Amenazas	Aislamiento
Abuso verbal	Se siente violado
Furia	Se siente impotente/ carente de poder
Provocación	Resentimiento
Daños a la propiedad	Come en exceso

La idea es procesar y resolver la ira. No la ignore.

Comprendamos la Ira

Pasar a la acción: hacer algo sobre el problema/situación

Un buen comienzo es aprender a expresar sentimientos de manera adecuada y respetuosa, de una manera en que el otro pueda entenderle.

Otra posibilidad es aprender técnicas de resolución de problemas y procesar los diversos detonantes y factores que causan estrés en su vida.

Procesar su ira

Si no está preparado para pasar a la acción y comunicar sus preocupaciones a la fuente directa, y no puede cambiar la situación, entonces su mejor opción es cuidar de sí mismo y de su ira.

1- Hable con alguien de confianza y libere sus preocupaciones.
2- Ejercicio físico – ésta es una gran manera de descargar algunas emociones negativas.
3- Escribir un diario- explore el origen de su ira. Entiéndalo para poder apoyarse a sí mismo.
4- Medite - conectese, y cuide de sí mismo.

Haga lo que haga, no ignore su ira. Hable con la fuente, cambie la situación, o cuide de sí mismo.

Seguir la Pista a Mi Ira

El propósito del Diario de la Ira es hacer un seguimiento de las situaciones que le hacen enfadar. Hacer un seguimiento de su ira le puede ayudar a poner las cosas en perspectiva después de un acontecimiento difícil, ayudándole potencialmente a que prevenga dichas situaciones en el futuro. Repasemos un ejemplo de diario.

1. ¿Cuál fue la situación? *Estaba haciendo cola en el supermercado. Otra de las cajas registradoras abrió, y la persona que estaba detrás de mí se apresuró a ir hacia ella.*

2. ¿Cómo la manejó? *Le dije, "¿No me has visto de pie delante de ti? Tienes que preguntarme si quiero pasar primero."*

3. ¿Qué quería que sucediera? *Quería que el chico supiera que estaba siendo desconsiderado, y que aprendiera una lección.*

4. ¿Pudo conseguir lo que quería con la manera en que se manejó? *Sí* (*No*)

5. ¿Qué pensamientos tuvo durante la situación? *Él es muy desconsiderado y piensa que se puede salir con la suya. ¿Y si yo fuera la clase de persona que no sabe defenderse? Los tipos como él necesitan aprender una lección.*

6. ¿Cómo se sintió durante la situación? *Sentí que se aprovechaban de mí y me sentí airado.*

7. ¿Cuál fue el resultado de la situación? *Me gritó, y me dijo que me metiera en mis asuntos. Vino la policía y me metí en problemas con la ley; ahora tengo que ir a cursos.*

8. ¿Utilizó la violencia física? *Sí* (*No*)

9. ¿Salió alguien físicamente herido? *Sí* (*No*) ¿*Emocionalmente?* (*Sí*) *No*   Si así fue, ¿de qué manera? *Me amenazó diciendo que iba a llamar a la policía. El también debe de haberse sentido amenazado.*

10. ¿Cómo se sintió después de su reacción? *Enfadado al principio, pero temeroso de que mi mujer iba a disgustarse conmigo por no manejar bien la situación.*

11. ¿Qué podía haber hecho de manera diferente? *Afirmar ante esta persona, "Perdona, creo que estaba aquí antes. ¿Te importa si paso delante de ti?"*

12. ¿Qué clase de pensamientos podrían haberle ayudado a conseguir un mejor resultado?
    a.   *No es para tanto. Solo son unos minutos de espera.*
    b.   *No tengo por qué dar una lección a todo el mundo.*
    c.   *La gente tiene diferencias; cuanto más comprensivo soy, más paciente soy. **

La última pregunta es la más importante de este ejercicio. Cuando usted es consciente de sus pautas de pensamiento tanto destructivas como constructivas, tiene el poder de elegir sus pensamientos y en definitiva de tomar mejores opciones para manejar situaciones difíciles.*

Seguir la Pista a Mi Ira

1. ¿Cuál fue la situación? _____
_____

2. ¿Cómo la manejó? _____
_____

3. ¿Qué quería que sucediera? _____
_____

4. ¿Pudo conseguir lo que quería con la manera en que se manejó? *Sí No En cierto modo*

5. ¿Qué pensamientos tuvo durante la situación? _____
_____

6. ¿Cómo se sintió durante la situación? _____

7. ¿Cuál fue el resultado de la situación? _____
_____

8. ¿Utilizó la violencia física? *Sí   No*

9. ¿Salió alguien físicamente herido? *Sí   No*   Emocionalmente? *Sí   No*   Si así fue, ¿cómo?
_____

10. ¿Cómo se sintió tras su reacción? _____

11. ¿Qué podía haber hecho de manera diferente? _____
_____

12. ¿Cuáles son algunos pensamientos que podrían haberle ayudado a conseguir un mejor resultado?

     1. _____
     2. _____
     3. _____

Seguir la pista a las situaciones que le enfadan le ayuda a identificar sus pautas destructivas. La percepción es el primer paso hacia el cambio.

LLAMADO A LA ACCIÓN: Para mayor éxito en el control de su ira, complete las preguntas al completo después de cada suceso que le irrite.

Seguir la Pista a Mi Ira

1. ¿Cuál fue la situación? _____

_____

2. ¿Cómo la manejó? _____

_____

3. ¿Qué quería que sucediera? _____

_____

4. ¿Pudo conseguir lo que quería con la manera en que se manejó? *Sí No En cierto modo*

5. ¿Qué pensamientos tuvo durante la situación? _____

_____

6. ¿Cómo se sintió durante la situación? _____

7. ¿Cuál fue el resultado de la situación? _____

_____

8. ¿Utilizó la violencia física? *Sí   No*

9. ¿Salió alguien físicamente herido? *Sí No*   Emocionalmente? *Sí   No*   Si así fue, ¿cómo?

_____

10. ¿Cómo se sintió tras su reacción? _____

11. ¿Qué podía haber hecho de manera diferente? _____

_____

12. ¿Cuáles son algunos pensamientos que podrían haberle ayudado a conseguir un mejor resultado?
   1. _____
   2. _____
   3. _____

Seguir la pista a las situaciones que le enfadan le ayuda a identificar sus pautas destructivas. La percepción es el primer paso hacia el cambio.

LLAMADO A LA ACCIÓN: Para mayor éxito en el control de su ira, complete las preguntas al completo después de cada suceso que le irrite.

El Curso de la Ira

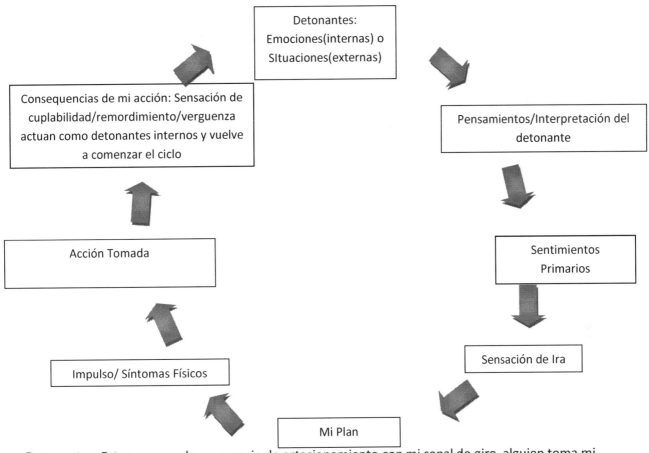

Detonantes: Estoy esperando un espacio de estacionamiento con mi senal de giro, alguien toma mi lugar.

Ideas/Interpretación: Esta persona sabia que yo estaba esperando y mi faltaba respeto tomando mi espacio.

Sentimientos Primarios: Estrés y ansiedad porque voy tarde; me siento debil al no saber responder.

Sentimientos de Ira: Enojado y frustrado.

Mi Plan: Para obtener venganza: "Le mostraré!" O lo trato mal, o le rayo el carro.

Impulso/Síntomas Físicos: La adrenalina agitada, respiración alterada, y el corazón latiendo fuerte..

Acción Tomada: Aggressiva – Toco la bocina y le grito al otro conductor por ser desconsiderado.

Consequencias: Sentimientos de verguenza y culpa que maneje mal la situación. Mi hijo me ha visto gritar y he modelado un comportamiento impropio para el.

Detonante Internal – La sensación de culpabilidad puede desencadenar el curso para comenzar de nuevo.

Rompiendo el Curso de la Ira

Ahora que comprendemos que el curso de la ira incluye varios components, examinemos más cerca cada elemento e identifiquemos como podemos romper este ejemplo. La columna de la izquierda nombra los componentes individuales del curso en la página anterior, y la columna derecha identifica la habilidad o los instrumentos que son el remedio contra las de la izquierda. Estas habilidades y estrategias se explican en detalle a lo largo de este libro y deben utilizarse para contrarrestar los efectos negativos de los detonantes.

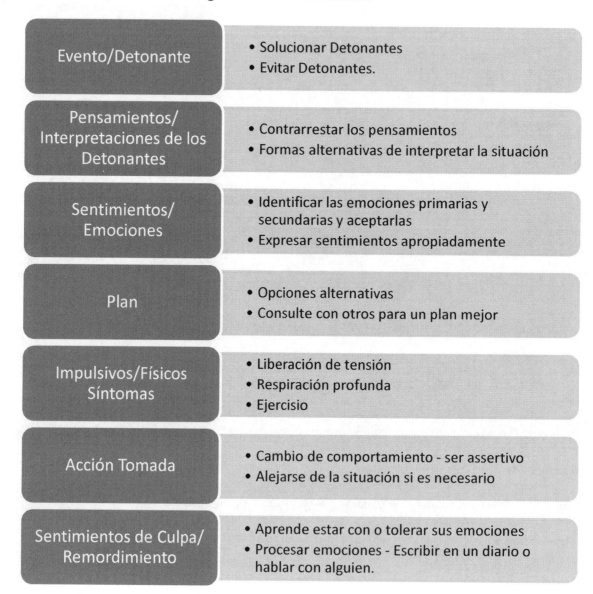

Evento/Detonante	• Solucionar Detonantes • Evitar Detonantes.
Pensamientos/ Interpretaciones de los Detonantes	• Contrarrestar los pensamientos • Formas alternativas de interpretar la situación
Sentimientos/ Emociones	• Identificar las emociones primarias y secundarias y aceptarlas • Expresar sentimientos apropiadamente
Plan	• Opciones alternativas • Consulte con otros para un plan mejor
Impulsivos/Físicos Síntomas	• Liberación de tensión • Respiración profunda • Ejercisio
Acción Tomada	• Cambio de comportamiento - ser assertivo • Alejarse de la situación si es necesario
Sentimientos de Culpa/ Remordimiento	• Aprende estar con o tolerar sus emociones • Procesar emociones - Escribir en un diario o hablar con alguien.

No sólo es más fácil hacer contra a los efectos iniciales del detonante, pero los esfuerzos hechos temprano le producen resultados productivos que si los deja para más tarde. En ciertos casos, expecialmente cuando el curso llega a su final, puede ser imposible romper la norma del detonante.

Pensamientos Detonantes de la Ira

Dicho simplemente, un detonante es cualquier cosa que provoca una reacción. Los detonantes pueden ser tan obvios como unos coches pitando sus bocinas o tan sutiles como alguien que se gira para mirarnos. Los detonantes traen recuerdos del pasado que provocan en nosotros temor, furia o lujuria. Cuando nos sentimos provocados, perdemos nuestra consciencia del presente y nos sentimos atrapados por el objeto de nuestra atención. Interpretamos y reaccionamos a lo más mínimo. En estos estados, nuestros instintos de supervivencia en el "cerebro reptiliano" secuestran nuestras funciones cerebrales superiores y detonan una respuesta de lucha, huida o paralización.

Las emociones desencadenadas pueden parecer negativas o positivas. Las discusiones y la atracción sexual pueden poner al sistema nervioso en estado de alerta creando una "ráfaga" o una sensación de estar muy despierto. Tal reactividad debilita la autonomía o el auto-control. La gente con traumas graves del pasado tanto físicos como emocionales probablemente experimentarán los detonantes como mecanismos de defensa inconscientes y se verán desde fuera como reacciones automáticas; se considerará que la persona tiene una personalidad extremadamente irascible. "Si es histérico, es histórico" es un dicho habitual de los programas de 12 pasos. Cuando nos sentimos emocionalmente provocados, hay por lo general traumas pasados sin procesar que nublan nuestra perspectiva. Los recuerdos del pasado informan todas nuestras interpretaciones en el presente.

Cuanto más nos relacionemos con los demás, más provocaciones sentiremos. Todos tenemos detonantes emocionales. Los detonantes nos hacen creer que solo hay una manera de responder a ellos. Limitan enormemente nuestras opciones de conducta. Si podemos hacernos conscientes de cuáles son nuestros detonantes, podemos tomar el control de nuestras reacciones y tomar mejores opciones. No tenemos que estallar y culpar al mundo por nuestras dificultades o abandonar la prudencia y satisfacer todos nuestros caprichos.

A continuación hay una lista de pensamientos detonantes asociados con sentimientos de ira. Están agrupados en cinco categorías: Exageración, Etiquetado, Privilegio, Adivinación de Intenciones y Suposiciones. A medida que lee la lista, coloque una marca junto a las que le resulten familiares. Quizá haya tenido estos pensamientos durante episodios de ira.

Exageración- *Enfocarse en los aspectos negativos de la situación.*

_____ 1. Nunca haces lo que te pido.

_____ 2. Siempre estás haciendo tus cosas y nunca me prestas atención.

_____ 3. Nunca estás disponible para mí.

_____ 4. Siempre estás controlando y diciéndome lo que tengo que hacer.

_____ 5. La gente no se esfuerza por conocerme.

Etiquetado – *Utilizar palabras para etiquetar a la gente o a las situaciones.*

Mis Pautas, Pensamientos y Desencadenantes de la Ira

_____ 1. Ahora estás actuando de una manera ridícula.

_____ 2. Estás siendo muy manipulativo.

_____ 3. Es una cazafortunas, por eso quiere que la lleve a cenar a los mejores restaurantes.

_____ 4. Es un cerdo. Me va a tratar mal debido a su profesión.

_____ 5. Siempre tienes que tener razón. No vas a escuchar, así que poco importa de todos modos.

Privilegio – _Simplemente porque quiere algo, cree que debería tenerlo._

_____ 1. Éste es mi asiento. Siempre me siento aquí en clase.

_____ 2. Le pagué dinero por este taller. Será mejor que responda a mis preguntas.

_____ 3. El Tiene que atenderme sin importar lo que yo diga. Es mi mesero.

_____ 4. Es mi novia; ella tiene que atenderme a mi.

_____ 5. Trabaja en servicio al cliente. Tiene que ayudarme.

Adivinación de Intenciones – _Asumir que sabe lo que alguien está pensando o sintiendo sin hablarlo con ellos._

_____ 1. Hace esto a propósito solo para molestarme.

_____ 2. Te opones a todo lo que digo. ¿Por qué no te puedes poner de mi parte por una vez?

_____ 3. Sé que realmente no te importa. Solo dices eso para calmarme.

_____ 4. Sé que no quieres ir realmente.

_____ 5. ¿Crees que no me doy cuenta de lo que estás pensando realmente de mí?

Suposiciones- _Cuando atribuye un significado especial a la conducta de alguien._

_____ 1. Si realmente me quisieras, te habrías ofrecido a ir conmigo.

_____ 2. No me llamaste porque te olvidaste completamente de mí.

_____ 3. Si quisieras trabajar aquí de verdad, cumplirías con mis demandas.

_____ 4. Si realmente te preocuparan los clientes, harías lo que te pidiera.

_____ 5. Obviamente no me respetas porque siempre me fallas.

¿Cuáles son sus detonantes emocionales? Escriba una lista y apréndala de memoria para reforzar su conciencia del momento. Entre los detonantes habituales se encuentran: agentes estresantes predecibles como reuniones

Mis Pautas, Pensamientos y Desencadenantes de la Ira

de negocios, horas límite, fechas de entrega; interacciones con cierta gente; o aniversarios de acontecimientos significativos. Cuando se sienta provocado, ¡determine el incidente que lo incitó y añádalo a la lista!

La próxima vez que se sienta provocado, diga el nombre del detonante en voz alta. "Alguien tocó la bocina, y me sentí provocado." Repítalo muchas veces y después exhale una respiración profunda. Si es apropiado que responda, hágalo. Pero antes intente recuperar la sobriedad emocional. Éste es uno de los cambios más difíciles que puede hacer en su vida, así que ¡sea paciente consigo mismo!

Algunos de mis detonantes más intensos son:

1._____

2. _____

3. _____

4. _____

5. _____

6. _____

7. _____

8. _____

9. _____

10. _____

Pensamientos para Contraatacar la Ira

Los pensamientos de contraataque son una herramienta importante para favorecer el aumento de las emociones positivas. La teoría cognitiva sugiere que nuestros pensamientos impactan de modo directo nuestras emociones. Por tanto, si nuestros pensamientos son irracionales o negativos, lo más probable es que sintamos un malestar innecesario. El propósito de este ejercicio es ayudarle a percibir las situaciones de una manera más realista y neutral.

Pensamientos Airados	Pensamientos de Contraataque
Lo hizo a propósito. Le voy a dar una lección.	1) ¿Cómo sé que hizo eso intencionalmente? Quizá no se dio cuenta de que me iba a afectar. 2) Incluso aunque le de una lección, puede que él no se de cuenta de lo que quiero enseñarle. 3) Me cuesta confiar en la gente, así que ésta puede ser otra situación en la que esté malinterpretando sus actos.
No debería tener que dar explicaciones.	1) Aunque me gustaría que mi pareja me leyera la mente, sé que eso no es posible. 2) Es mi propio reto expresar apropiadamente mis sentimientos. Mi pareja dice que él/ella no entiende; es mi responsabilidad explicarlo más a fondo. 3) El propósito de la comunicación es clarificar.
No puedo confiar en la gente.	1) ¿Quién lo dijo? Aunque me he sentido traicionado en el pasado, eso no quiere decir que me vayan a traicionar de nuevo. 2) He confiado en mi amigo y no me he hecho daño. 3) Tengo la costumbre de buscar razones para desconfiar de la gente. Si busco lo suficiente, seguro que encuentro algo.
Ella hizo que me enfadara.	1) Nadie hizo que me enfadara. Estoy enfadado debido a mis propias interpretaciones de los hechos. 2) Parece que quiera culpar a alguien más de mis emociones, cuando sé que tiene que ver con mis propias expectativas. 3) Ella no me forzó a enfadarme o dijo que tenía que enfadarme. Es una elección.

Ejercicio: Contraataque sus Pensamientos Airados	
Instrucciones: Haga una lista de sus pensamientos airados en la primera columna, y trate de contraatacarlos en la segunda (al menos 2 pensamientos que contrarresten cada pensamiento airado).	
Pensamientos Airados	**Pensamientos de Contraataque**

*Para obtener el mayor beneficio de esta herramienta, le animamos a que contraataque los pensamientos que le causan malestar a diario. Si practica esta técnica de manera consistente, notará cambios positivos en sus hábitos de pensamiento. El beneficio de este buen trabajo inicial es que, con el tiempo, contraatacar sus pensamientos se convertirá en algo automático que le resultará natural.

Situaciones Desencadenantes de la Ira y Leves Irritaciones

Hay muchas situaciones que provocan ira o frustración. Repase la siguiente lista para identificar cuánto le irritaría cada detonante. Evalúe como sigue:

0- Sin provocación 1- Leve provocación 2- Provocación moderada 3- Provocación Grave

Situaciones Generales

1. Usuarios de celulares que hablan muy alto en lugares públicos
2. Conversaciones de ascensor que son demasiado personales
3. Conversaciones de ascensor para presumir, dejar caer nombres célebres o actuar para los demás
4. Pequeños robos, como el periódico, una planta o un paraguas robados de la entrada
5. Fumar en áreas de no fumadores
6. Alguien que se saltó la fila
7. Gente que no acepta un "No" por respuesta
8. Vendedores agresivos
9. Gente pasivo-agresiva que manipula, controla y distorsiona para salirse con la suya
10. Masticar chicle ruidosamente
11. Gente que no cumple con su parte en casa, en el trabajo, socialmente o en la comunidad
12. Recibir consejo de gente que no sabe nada de su situación
13. Gente que habla demasiado
14. Gente que maltrata a los animales o a los niños
15. Gente que miente
16. Gente que habla mal de los demás
17. Gente que se queja de cosas que nadie puede cambiar, como el viento
18. Gente que continúa cometiendo los mismos errores aunque les hayan corregido
19. En el mostrador de la deli o la pastelería, el empleado se salta su turno
20. Está en una reunión, y el líder pregunta a todos menos a usted
21. Gente que cree que te engaña cuando lo cierto es que puedes ver a través de ellos.
22. Gente que culpa a los demás por su falta de éxito
23. Gente que completa sus frases
24. Gente con talento que se niega a hacer algo al respecto y se queja de estar "aburrida" de la vida
25. Gente que no quiere hacer lo que se requiere para lograr un objetivo
26. Recibir llamadas de vendedores

Redes Sociales

1. Gente que se niega a aprender nuevas tecnologías
2. Gente que no sabe lo que ellos no saben y no aprenden
3. Gente que cree que Facebook es la vida real y se refiere a cosas que leyó allí

Mis Pautas, Pensamientos y Desencadenantes de la Ira

4. Gente que publica información falsificada sobre otros en redes sociales
5. Publicar o etiquetar una foto suya sin su permiso
6. Ver fotos de sus amigos reunidos sin que le hayan invitado
7. Se da cuenta por las redes sociales de que su ex está en otra relación
8. Gente que revela demasiado en redes sociales
9. Tramposos - gente que crea perfiles falsos

Conducción/ Relacionadas con el Coche

1. Los que conducen pegados al vehículo de adelante
2. Conducción agresiva o presuntuosa
3. Congestión de tráfico cuando llega tarde a una reunión o cita
4. Está esperando por un lugar para estacionarse y alguien se desliza y se lo quita
5. Gente que conduce por el carril lento o a la par para adelantarle
6. Conductores desconsiderados que se niegan a dejar pasar a nadie
7. Gente que habla por teléfono mientras conduce a pesar de que sea ilegal
8. Conductores que le adelantan, y después pisan los frenos provocando que usted pise los frenos, casi causando un accidente
9. Un conductor que está escribiendo un mensaje en el semáforo en rojo y no se da cuenta de que se ha puesto en verde
10. Mujeres que se maquillan mientras conducen
11. Hombres que se afeitan mientras conducen
12. Gente que come mientras conduce
13. Conductores que se dan la vuelta para hablar con sus pasajeros y no atienden a la carretera
14. Conductores que pasan deprisa por zonas residenciales donde hay niños y corredores
15. El coche de atrás presionándole a bocinazos para que se meta en el tráfico cuando no puede ver lo que usted ve, un enorme camión que viene por la izquierda
16. Ser un pasajero en un coche conducido por alguien descuidado o temerario

Financiero

1. Robo de identidad
2. Perder la cartera, el celular, la tarjeta de crédito, etc.
3. Ser estafado de cualquier manera
4. Salir con amigos que no contribuyen su parte con la cuenta y la propina
5. Cargos menores—como los cargos del banco, del cajero automático, del teléfono, en letra pequeña
6. Que le pongan una multa de aparcamiento por llegar dos minutos tarde a pagar
7. Llegar a casa del mercado y ver que le faltan artículos que necesita porque el cajero y el que embolsa estaban demasiado ocupados hablando para prestar atención
8. Gente que se aprovecha del tiempo que le están pagando por trabajar hablando, criticando a los demás, quejándose, tomándose demasiado tiempo para comer, y no realizando su trabajo

9. Gente que envidia lo que tienen los demás pero no toma la acción necesaria para conseguirlo por sí mismos
10. "Propinas incluidas" de manera automática cuando el servicio es pésimo
11. Sube el precio de un artículo
12. Su pareja está gastando dinero que no hay en el presupuesto
13. Gente que organiza la división a partes iguales de la cuenta cuando algunos pidieron langosta y alcohol mientras que otros solo pidieron una ensalada

Relaciones

1. Gente que es cruel con los niños o los animales
2. Gente que es tóxica, con lo que se siente peor, no mejor, cuando está con ellos
3. Gente que es ambivalente respecto a estar con usted pero no dice nada
4. Gente que habla de los demás a sus espaldas
5. Gente que le falla
6. Gente tacaña
7. Gente que no cumple su palabra
8. Gente que no cuida su salud y su entorno
9. Gente que no hace su parte en una relación
10. Mujeres que no entienden a los hombres y no se molestan por observar y aprender
11. Hombres que no entienden a las mujeres y no se molestan por observar y aprender
12. Gente que tiene malas intenciones en sus interacciones con usted
13. Alguien que no cumple con su deber, responsabilidad o promesa y lo ignora
14. Tener que lidiar con las consecuencias de una mala relación: separaciones, divorcio, peleas por la custodia, riñas financieras, sufrimiento
15. Su pareja se toma su tiempo cuando hay límites establecidos
16. Infidelidad

Ser padres

1. No hacer de la seguridad y el bienestar de los propios hijos una prioridad
2. No prestar atención a las señales de alarma como que los niños tengan problemas en la escuela con su conducta o sus calificaciones
3. Lidiar con sus sentimientos como padre cuando su hijo no entra en un equipo deportivo o equipo de baile, etc.
4. Lidiar con el hecho de que su hijo no se lleva bien con sus compañeros
5. No le gustan los amigos de su hijo
6. No le gustan los padres de los amigos de su hijo
7. Padres que son demasiado rígidos o impacientes con sus hijos
8. Padres que no son honestos con sus hijos o mienten delante de ellos
9. Padres divorciados que dicen cosas negativas de sus ex parejas
10. Padres que dicen palabrotas delante de sus hijos y después están sorprendidos de que sus hijos repitan esas palabras en la escuela o en público
11. Presionar a los niños para que destaquen

Mis Pautas, Pensamientos y Desencadenantes de la Ira

12. Dejar que los niños hagan lo que les plazca
13. Ser permisivo con los hijos
14. Padres que gritan a un niño pequeño o a un perro en un lugar público de manera cruel
15. Padres sobreprotectores
16. Padres que ignoran con frecuencia a sus hijos

Reconozca la Ira y a Usted

Cuando se trata de la ira, por lo general no nos damos cuenta de cómo pasamos del uno al diez tan rápidamente. Tendemos a enfocarnos en lo que los demás hacen más que en nuestras reacciones. ¿Ha pensado alguna vez en lo que le hiere tanto y por qué? ¿Qué sucede físicamente cuando experimenta ciertas emociones? Con frecuencia estamos tan ocupados sintiéndonos enojados que dejamos de lado entender lo que está sucediendo.

El siguiente ejercicio le ayudará a reconocer su ira y cómo le impacta. ¡Bienvenido al primer paso del reconocimiento de la ira!

A. Anote un sentimiento que es difícil de tolerar para usted, por ejemplo, el dolor, la falta de respeto, la traición o la decepción.

_____

_____

B. Identifique una ocasión en que experimentó ese sentimiento y fue difícil de tolerar. ¿Qué recuerda sentir físicamente? – ¿Las manos sudorosas? ¿El corazón acelerado? ¿Sequedad en la boca? ¿Dolor de pecho? Puntúe cada síntoma en una escala del 1 al 10 según su nivel de intensidad. Por ejemplo, si recuerda sentir su corazón acelerándose, y de manera intensa, podría escribir "Corazón acelerado – 8" en la línea a.

a. _____

b. _____

c. _____

d. _____

e. _____

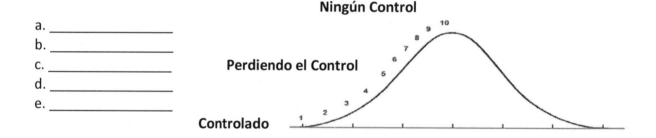

C. Haga una lista de las *conductas* y/o *acciones* que llevó a cabo al experimentar síntomas físicos, por ejemplo, atacado verbal o físicamente, empleó un tono más duro o sarcástico, se puso vengativo, o se decidió por cortar la comunicación

a. _____

b. _____

c. _____

d. _____

e. _____

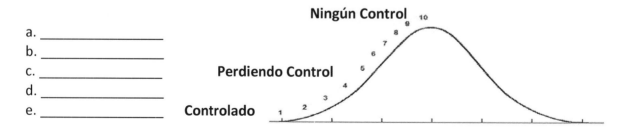

Mis Pautas, Pensamientos y Desencadenantes de la Ira

D. Haga una lista de acontecimientos en su vida que desencadenaron esa emoción difícil.

1. _____

   _____

2. _____

   _____

3. _____

   _____

E. Haga una lista de acciones que pueden prevenir que ocurra de nuevo.

1. _____

   _____

2. _____

   _____

3. _____

   _____

La identificación de desencadenantes que pueden llevar a sentimientos difíciles, síntomas físicos, y comportamientos que los acompañan, previenen que usted pierda el control. Cuanto antes detenga la ira, más fácil será manejarla. Continúe puntuando los niveles de sus emociones y reacciones físicas durante las próximas semanas, y note cómo su ira mejora.

Consejos Rápidos para Domar su Ira

Con frecuencia, los pacientes en control de la ira piden consejos rápidos que puedan sacarse del bolsillo de inmediato cuando sienten la provocación de la ira. Vivimos en un mundo acelerado; es normal querer soluciones inmediatas a nuestros problemas dolorosos. La realidad es que nuestras maneras tóxicas de lidiar con la ira se han estado formado durante años – fueron modeladas por nuestros cuidadores durante nuestra infancia y reforzadas en todas nuestras relaciones adultas. Obviamente, va a llevar más de una tarde deshacer nuestros hábitos destructivos y aprender a prevenir la ira desarrollando una mayor confianza y empatía con los demás, cambiando nuestras percepciones distorsionadas y comunicando nuestras necesidades de manera efectiva. En el corto plazo, sin embargo, aquí tiene algunas perlas que le pueden servir temporalmente y darle una mayor tranquilidad mientras trabaja los problemas más profundo a largo plazo:

1- **Cambie de escenario:** Cuando las cosas se ponen calientes, a veces es mejor dejar la situación. Esto le ayuda a cambiar de enfoque así como de punto de vista. Le da la oportunidad de reflexionar en vez de airarse más.

2- **De un paseo:** Caminar ayuda de diversas maneras. Cuando paseamos, nuestros cuerpos liberan sustancias químicas llamadas *endorfinas* que tienen un efecto calmante en el cuerpo. Las endorfinas también reducen nuestra percepción del dolor. Además, el movimiento continuo y cruzado (de izquierda a derecha) de brazos y piernas mejora el estado de ánimo y de alerta, al estimular ambos lados del cerebro a la vez.

3- **Cuente hasta diez:** Contar interrumpe la emoción. La emoción se maneja en el hemisferio derecho del cerebro mientras que la lógica se maneja en el izquierdo (teoría originada por Roger W. Sperry). Cuando implica al lado izquierdo de su cerebro para contar, el cerebro emocional, a la derecha, se desvincula. El acto de contar también aleja su atención de sus pensamientos airados.

   a. Otra técnica es ponerse un parche en un ojo. Esta es una técnica de NLP (Programación Neurolingüística) que se emplea para reducir los sentimientos de tensión. Puede desactivar la dominancia del hemisferio derecho del cerebro, el emocional, y ayudarnos a seguir siendo lógicos. Para algunos, este efecto se produce al cubrir el ojo derecho; para otros, ha de cubrirse el izquierdo. Para ver qué ojo le funciona a usted, pruebe esto: Mirando de frente con ambos ojos abiertos, piense en una persona o situación que le moleste. Cubra su ojo derecho durante 10-20 segundos. ¿Cambia esto la intensidad de su emoción? Cubra su ojo izquierdo durante 10-20 segundos. Evalúe si su nivel de malestar disminuyó al cubrir su ojo derecho o izquierdo. Si no está seguro, pruebe de nuevo, y preste mucha atención a la intensidad de su malestar.

4- **Respire con Intención:** Respire hondo conscientemente durante al menos 3-4 minutos. Asegúrese de que respira dentro de su diafragma y no solo en el pecho. Para evaluar si está respirando con su diafragma, ponga una mano en su vientre y otra en su pecho. Cuando inspire, su vientre debería llenarse de aire, obligando a su mano a moverse hacia delante. Si, por otra parte, cuando inspira, se eleva la mano en su pecho, esto quiere decir que su respiración es superficial, lo que prolonga la ansiedad. La respiración profunda dentro de su vientre/diafragma relaja el cuerpo.

   a. **Consejo Adicional: Cuente mientras inhala y exhala:** inhala por un recuento de 4 segundos. Exhala por 8 segundos. Esto pone en marcha al sistema nervioso parasimpático, que se encarga de la relajación.

5- **Escriba:** Escribir es una manera segura de expresar y liberar emociones incómodas.

   a. **Escriba un Diario:** Hay muchos estilos diferentes para escribir un diario y no hay una manera "correcta" o "equivocada" de hacerlo. Algunas personas utilizan la escritura de estilo libre para simplemente identificar sus pensamientos y sentimientos o para liberar emociones extremas que quizá no sea seguro o constructivo expresar a una persona de verdad. Un método más estructurado es el de dividir la entrada en su diario en tres partes. Parte 1: Libere su ira y frustración escribiendo sobre cómo se siente y cómo se ha comportado. Puede parecer destructivo, pero poner sus pensamientos en papel y fuera de sí mismo es algo realmente muy sanador. Parte 2: Procese y reflexione. Pregunte y responda preguntas como, "¿Qué quiere decir esto sobre mí?" y "¿Cuáles fueron mis pensamientos subyacentes que hicieron que actuara de esta manera?" Parte 3: Establezca metas y elabore un plan de acción. ¿Cómo me gustaría cambiar mi comportamiento? ¿Cómo afectaría ese cambio a mi relación? ¿Qué plan tengo para hacer este cambio? ¿Cómo voy a lidiar con los obstáculos que encuentre durante el proceso para cambiar mis hábitos?

   b. **Escriba una carta:** Escriba una carta a alguien con quién está enojado. Esta NO es una carta que va a enviar. (Es mejor escribir en papel o en un documento de Word y no en un correo electrónico, donde pulsar por accidente la tecla Enviar podría potencialmente arruinar sus esfuerzos por calmarse.) Diga todo lo que quiera decir en la carta. Aunque parezca extraño, el simple acto de escribir la carta puede ayudar enormemente a recuperarse de su enfado. Es una experiencia catártica que permite al niño no censurado que llevamos dentro tener voz propia sin enfrentar consecuencias negativas.

6- **Detenga el Pensamiento** – Los sentimientos de ira son intensificados por la reflexión obsesiva– volver una y otra vez a los mismos pensamientos. Para interrumpir este proceso de pensamiento destructivo, diga en voz alta con una voz firme y autoritaria, "¡Para!" Imagine una gran señal roja de parada, o visualice cómo el acontecimiento que le enfada encoge o se marcha flotando. Reemplace el pensamiento desagradable con uno placentero. Tenga un pensamiento agradable preparado para traer a la mente de inmediato.

7- **Autoafirmaciones positivas y compasivas** – Repase una lista de afirmaciones y frases positivas para decirse a sí mismo. Cuando redirige su atención hacia los aspectos positivos de su vida, invita más sentimientos positivos. La ira crea mucha energía negativa en su cuerpo; de usted depende desviar su atención hacia afirmaciones y frases que sean sanadoras. Por ejemplo: "En el centro de toda ira hay una necesidad que no ha sido satisfecha." - Marshall B. Rosenberg. O "Mi ira es temporal; no me siento escuchada en este preciso momento, pero cuando me calme, seré capaz de entender mejor esta situación."

8- **Relaje la Tensión** – Utilice las bolas chinas para descargar la tensión de la ira. La ira se manifiesta físicamente, y los ejercicios para relajar la tensión ayudan a su cuerpo a deshacerse de energía improductiva. Generan relajación y disminuyen la posibilidad de que sufra estallidos de ira.

    a. **Relajación muscular progresiva** – relaje sus músculos con este proceso en dos pasos. Primero, tense sistemáticamente un grupo muscular en particular, como su cuello y hombros, durante un recuento de 5 segundos. A continuación, relaje la tensión, y note cómo sus músculos se sienten blandos y pesados. Haga esto para los brazos, manos, piernas y pies. Repita el ciclo 3 veces. Este ejercicio reduce la tensión y el nivel de estrés general.

9- **Sintonice con sus sentimientos físicos** – En vez de huir de su sentimiento, ponga toda su atención en él. Esto le hará sentir más asentado. Consejo: Utilice sus sentidos para identificar el aspecto del sentimiento, incluyendo su color, forma y tamaño. ¿Cuánto pesa? ¿A qué huele? ¿Tiene cierta textura? ¿Dónde se asienta en el cuerpo? Por ejemplo: puede que sienta un bloque pesado de acero negro que huele a metal asentado en el área pectoral. Dé vida al sentimiento.

10- **Hable con alguien de confianza** – Llame a alguien con quien se sienta seguro y que sea compasivo. Esta persona usualmente es un buen oyente y ofrece comentarios útiles.

Dígale que le gustaría hablar unos minutos sobre una situación que le está molestando. No desgaste a su sistema de apoyo y llame solo cuando sea verdaderamente importante.

11- **Practique técnicas de relajación–** Además de los ejercicios de respiración y de liberación de tensión descritos con anterioridad, puede utilizar la visualización y la meditación para aumentar la relajación:

    a. **La visualización** consiste en imaginarse a sí mismo en un entorno relajante, como la playa, con los rayos del sol calentando su piel.

    b. **La meditación** es la práctica de observar sus pensamientos ir y venir sin reaccionar ante ellos. Encuentre un lugar tranquilo donde sentarse, o medite mientras camina en un vecindario conocido o en una pista donde no tenga que prestar mucha atención a su ruta. La meditación es un ejercicio que le asentará mucho, ya lo haga durante un minuto o durante una hora.

12- **Escuche música –** Su música favorita puede relajarle y ponerle de mejor humor.

13- **Haga ejercicio –** La actividad física libera ira. Suelte su ira mientras anda en bicicleta o corre por la calle. Como hemos mencionado, esto libera endorfinas y mejora su estado de ánimo.

14- **Utilice el humor –** Vea una película o programa de televisión divertido. Aprenda a reírse de sí mismo.

RECUERDE: Aunque puede ser útil para algunas personas, tenga en mente que golpear bolsas de boxeo u otros objetos puede aumentar la adrenalina y por tanto reforzar la violencia en otras.

Técnicas adicionales (puede que su facilitador las conozca o no):
1- **Manos dobladas con el pulgar derecho sobre el pulgar izquierdo -** NLP de cuarta generación. Activa el hemisferio izquierdo.
2- **Terapia del Campo del Pensamiento (TFT) / Técnica de Libertad Emocional (EFT) –** golpeando con las yemas de sus dedos en puntos meridianos con cierto algoritmo.

Consejos para el Control de la Ira a Largo Plazo

Con frecuencia queremos consejos rápidos para deshacernos de nuestra ira. Por desgracia, el trabajo requerido para manejar la ira requiere bastante más que eso. El enfoque principal de un programa para el manejo de la ira es la prevención, para que pueda contar con maneras más manejables de tratar los sentimientos de ira y el deseo de actuar agresivamente. Una cosa en la que enfocarse, es el área de sus "necesidades insatisfechas" o de lo contrario su ira resurgirá. Cuanto más entienda su propia ira, más capaz será de comunicar sus deseos y necesidades a los que le rodean.

Consejos Útiles en General

1. **Realice un seguimiento de su ira** – Cuando quiere realizar cambios en cualquier comportamiento, es útil identificar sus pautas y los detonantes del comportamiento. De esta manera puede evitar los detonantes o solucionarlos como problemas. Empiece a guardar un historial de sus momentos de ira para identificar pautas. Algunos ejemplos de detonantes incluyen estar cansado, tener hambre, o no sentirse escuchado.

2. **¿Qué relevancia tiene su ira?** A veces nos encendemos y nos disgustamos cuando la situación no lo requiere realmente, por ejemplo, en una escala del 1 al 10 (10 para muy enfadado) si una persona le interrumpe mientras habla, y usted llega hasta el 8, ¿dónde llegaría si su novia le fuera infiel?

3. **La ira es una emoción protectora** – Habitualmente nos enfadamos para protegernos de una emoción dolorosa. En vez de cubrir las emociones indeseadas, enfréntelas y trabaje para aceptarlas e integrarlas.

4. **Preste atención a sus pensamientos** – Cuando esté enojado, sus pensamientos "sonarán" distintos. Puede que hasta note los pensamientos antes de sentir sus emociones. Estos pensamientos pueden ser afirmaciones que impliquen expectativas irrealistas, pensamientos airados como "Lo hizo a propósito," "Está tardando demasiado," "Tiene que verlo a mi manera," o "Por supuesto se va a poner de su lado; siempre lo hace."

5. **Establezca límites saludables** – El establecimiento de límites apropiados consigo mismo y los demás es crucial para el fomento de relaciones saludables. Si usted no tiene buenos límites consigo mismo, ¿cómo puede tenerlos con los demás? Asegúrese de cuidar bien de sí mismo y de no abrumarse constantemente poniendo las necesidades de los demás antes de las suyas.

6. **Comuníquese de manera asertiva** – Cuando oculta su decepción o frustración, la gente que le rodea no sabe que algo le está molestando, y por tanto no harán nada para ayudarle. Guardarse las cosas dentro de sí mismo también puede llevarle a sentirse resentido.

   A veces *mostramos* que estamos disgustados, pero no lo *decimos*, o no decimos por qué. Esto puede confundir a la gente que nos rodea. Sea claro al comunicar lo que le molesta, y pida lo que usted desea. Absténgase de comunicarse con agresividad.

7. **Compruebe sus expectativas** – Estamos destinados a la decepción cuando establecemos expectativas irrealistas sobre los que nos rodean. En vez de decir "Deberías," afirme "Me

gustaría." Esta técnica le ayudará a hacerse más realista y tolerante. Por ejemplo, "Me gustaría mucho que me llevaras a cenar para mi cumpleaños."

8. **Intervenga durante las etapas iniciales de su ira – No espere hasta que no pueda controlar su ira.** Cuando note que su ira está sobre el 5 en una escala del 1 al 10, comience a trabajar para reducirla. Lo que quiere decir, que si alguien dice o hace algo molesto, se lo comunique de manera respetuosa. O escriba en su diario sobre sus frustraciones. Es más fácil trabajar con su ira en sus etapas manejables que esperar a que sea demasiado tarde.

9. **Asuma la responsabilidad –** Muchas veces culpamos a los demás cuando estamos enojados. Está en sus manos cuidar de sí mismo, y pedir el apoyo que quiere. Tiene la opción de comer sano, hacer ejercicio, y organizar actividades divertidas. Si esto le resulta difícil, y culpa con frecuencia a los demás por su malestar, sería útil trabajar las cuestiones que rodean a la codependencia. Por ejemplo, ¿alguna vez se ha visto diciendo "Me hiciste enfadar"?

10. **Sea justo –** Si quiere que le escuchen y que satisfagan sus necesidades, es importante que usted también lo haga. Negocie cuando sea necesario. No tiene por qué salirse con la suya en todas las decisiones.

Requiere práctica y esfuerzo pensar con más calma, y abstenerse de actuar de manera agresiva. Sin embargo, a pesar de tanto esfuerzo, podemos tener un tropezón y gritar, o reaccionar de modo inapropiado. En caso de que esto suceda, aquí tiene unas sugerencias:

1. **Muestre comprensión –** Si estalló delante de alguien o fue agresivo con ellos, intente disculparse y compartir su comprensión sobre cómo su conducta les ha impactado. Por ejemplo, en vez de decir "Lo siento," diga, "Me doy cuenta de que la manera en que te grité pudiera asustarte. Lamento haberte puesto en una situación incómoda."

2. **Practique el perdón –** Aferrarse a la ira solo le hará daño a usted. Aprenda a perdonar a la gente que le haya hecho daño.

3. **Respete los límites de los demás –** Después de una fuerte discusión, algunas personas necesitan espacio para procesarla. Deles su espacio y no siga insistiendo en que hablen del problema. Encuentre maneras de calmarse como escribir en su diario o ir a dar un paseo.

4. **Reflexione –** Volver la vista a situaciones pasadas ayuda a la gente a entender sus interpretaciones del acontecimiento que les llevó a sentirse disgustados. Explore razones para la frustración, y maneras alternativas de ver la situación.

Utilizando la Terapia Racional-Emotiva para la Ira

Imagine dos clientes que están haciendo cola para comprar un café, y el cajero está tardando mucho tiempo en atenderles. Para cuando el cajero llega a estos clientes, cada uno de ellos tiene una reacción diferente: el primer cliente se siente aliviado de poder obtener por fin su café, pero el segundo cliente está enfadado e irritado porque el cajero ha tardado mucho. Si ambos clientes están tratando con idéntica situación, ¿por qué se sienten de maneras tan distintas? La respuesta es que *la manera en que percibimos una situación, la manera en que pensamos sobre un acontecimiento, es la que causa nuestra reacción emocional*.

La terapia racional-emotiva es una herramienta, creada por el doctor Albert Ellis, que podemos utilizar para ayudarnos a mejorar la manera en que nos percibimos a nosotros mismos, a los demás y a las situaciones de la vida. El punto clave de R.E.T. es que sentimos de la manera que pensamos. Cuando vemos algo de manera negativa, tendemos a sentir emociones negativas. Igualmente, si vemos las cosas de manera positiva, tendemos a sentirnos más felices. La siguiente sección introducirá R.E.T. como método para ayudarle a reducir la ocurrencia de emociones negativas, en particular la ira, ayudándole a identificar y en definitiva a cambiar, sus sistemas de creencias.

El primer paso es hacerse más consciente de sus pensamientos detonantes. Una manera estupenda de hacer esto es apuntarlos. Durante los próximos días, cuando sienta que se está enfadando, describa la **situación** que le llevó a enfadarse. Después, identifique sus **creencias** sobre los acontecimientos que tuvieron lugar. Entonces, trate de definir los **sentimientos** sobre la situación, así como las **acciones** que llevó a cabo. Finalmente, si sus propios pensamientos le llevaron a sentirse airado, **contradiga** su sistema de creencias y elija pensamientos y creencias alternativos. A continuación exponemos un ejemplo de R.E.T.:

1. *Situación:* ¿Cuál fue la situación que le llevó a enfadarse?

2. *Creencias e Interpretación:* ¿Cómo interpretó la situación?

3. *Sentimientos:* ¿Qué sentimientos tuvo durante la situación?

4. *Acciones:* Si sintió ira, ¿qué hizo debido a su ira?

5. *Contradicción:* ¿Cómo puede ver la situación de otra manera?

Puede alterar sus sentimientos y pensamientos cambiando sus creencias e interpretaciones acerca del acontecimiento. ¿Cómo funciona esto? Pues bien, las creencias forman nuestra manera de pensar (nuestros pensamientos). Nuestros pensamientos nos llevan a sentir nuestros sentimientos. Finalmente, cuando nos sentimos de cierta manera, vamos a actuar de cierta manera. El siguiente diagrama muestra el flujo de esta idea:

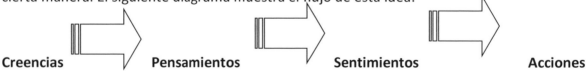

Creencias   **Pensamientos**   **Sentimientos**   **Acciones**

Procesando Mi Ira

Para el último paso del proceso R.E.T., cuestionamos o "contradecimos" nuestras viejas creencias y entrenamos nuestras mentes de nuevo con mensajes actualizados y positivos. Queremos que nuestras nuevas creencias sean más realistas, con lo que nos darán menos razones para enfadarnos. Utilice las siguientes preguntas para ayudarse a cuestionar sus creencias anticuadas:

> ➤ ¿Quién dijo que esto era cierto?
> ➤ ¿Por qué creo esto?
> ➤ ¿Dónde están mis evidencias?
> ➤ ¿Cuáles son algunas maneras alternativas de ver esto?

Al anotar la situación y trabajar todos los pasos del proceso R.E.T., tenemos un diagrama visual con el que observar nuestro progreso gradual.

Los siguientes ejemplos le muestran cómo emplear R.E.T. para la ira:

Situación 1

Situación: Mientras paseaba por el exterior de la galería , noté que un grupo de personas estaba fumando cigarrillos.

Creencias e Interpretación: La gente no debería fumar en un lugar donde otros pueden verse afectados por el humo. Yo tengo asma, y ahora puede que me ponga enfermo. ¡Es tan desconsiderado de su parte!

Sentimientos: Me sentí airado y frustrado.

Acciones: Empecé a mover mi mano frente a mi rostro para alejar el humo de mí. También eché miradas acusatorias a la gente.

Contradicción: A medida que seguía caminando, me di cuenta de que estaba en la sección de fumadores de la galería. Estaban fumando en la sección apropiada. Podía haber caminado alrededor de ese área para evitar el humo.

Situación 2

Situación: Estaba en un restaurante el viernes por la noche con un amigo. La camarera sentó a una familia con un bebé que lloraba junto a nosotros.

Creencias e Interpretación: No puedo creer que una familia traiga a un bebé que llora a un buen restaurante el viernes por la noche. La madre debería intentar de consolar a su bebe para que se calme.

Procesando Mi Ira

Sentimientos: Furioso y resentido, me sentí estresado porque mi noche estaba siendo arruinada.

Acción: Eché una mirada acusatoria a la familia para que supieran que su bebé me estaba molestando.

Contradicción: Ciertamente esta familia tiene derecho a salir un viernes por la noche. Después de todo, ¿qué se supone que tienen que hacer, quedarse en casa porque el bebé tiene un cólico? También deberían poder disfrutar de su noche fuera.

Pruebe a hacerlo usted

Situación 1

Situación: _____

Creencias e Interpretación: _____

_____

Sentimientos: _____

Acción: _____

Contradicción: _____

Situación 2

Situación: _____

Creencias e Interpretación: _____

_____

Sentimientos: _____

Acción: _____

Contradicción: _____

PASE A LA ACCIÓN: Liste varias situaciones recientes que fueron irritantes. Para cada incidente, escriba sus creencias, cómo se sintió, cómo lo manejó y cómo podía haber contradicho su interpretación del evento.

ANALIZAR UNA DISCUSIÓN

Para mejorar las relaciones con los demás, es importante pulir la técnica para analizar una discusión. Es común tener desacuerdos. El análisis de una discusión puede ayudarle con la mejora de la comunicación y la resolución de problemas.

Lo siguiente demuestra cómo utilizar esta hoja de ejercicio: Analizando una Discusión

1. Describa la situación que desembocó en una discusión. *La semana pasada le dije a mi novio que quería pasar algún tiempo juntos durante el próximo fin de semana. Cuando llegó el fin de semana me di cuenta de que unos amigos que viven fuera de la ciudad también estaban en su casa.*

2. ¿Cuál fue su necesidad insatisfecha? *Quería sentirme importante y querida.*

3. En una escala del 1 al 10, ¿cuánto le dolió sentir que sus necesidades no serían satisfechas? *¡10!*

4. ¿Cómo expresó su nivel de dolor? *Dejé de dirigirle la palabra. Cuando finalmente nos quedamos solos le dije ¡que era egoísta y descuidado!*

5. ¿Es posible que algunos de esos sentimientos estén relacionados con su pasado? *Mi ex ignoraba mis sentimientos con frecuencia; quizá eso haya contribuido.*

6. ¿Cómo cree que se sintió su pareja después de que usted se expresara? *¡Culpable, espero! Pero conociéndole, estaba ofendido y confundido, ¡como siempre!*

7. ¿Consiguió lo que quería después de expresarse? *No. Él se enfocó más en insultarme y culparme que en mis sentimientos.*

8. ¿Quería demostrar que su pareja estaba equivocada? *Sí. No hice nada malo. ¡Él es el que fue desconsiderado y descuidado!*

9. ¿Había otros factores que contribuyeron al nivel de intensidad durante la discusión como el estrés, el hambre, y/o la falta de sueño? *Quizá. Estoy pasando por un momento de estrés financiero. Supongo que por eso era tan importante para mí contar con su apoyo el fin de semana y pasar un tiempo de calidad los dos solos.*

10. ¿Había otros factores que pudieran haber aumentado el nivel de intensidad de la discusión para su pareja? *¡No!*

11. ¿Qué perspectiva tenía su pareja de la situación? *Probablemente asumió que pasaríamos un tiempo de calidad al día siguiente.*

12. ¿Fue capaz de validar los sentimientos de su pareja? Si lo hizo, ¿cómo lo hizo? Si no, ¿por qué no? *No, estaba demasiado enfadada y decepcionada.*

13. ¿Qué podría haber hecho de modo diferente para satisfacer sus necesidades? No juzgarle o insultarle y no ser tan reactiva. Debería haber expresado mis sentimientos de manera asertiva.

14. ¿Qué hará en el futuro para reducir la intensidad de una discusión? Darme cuenta de que estoy emocionalmente cargada ¡y esperar a responder antes que reaccionar! *También, intentar entender la perspectiva de la otra persona. ¡Se requiere comprensión para ser comprendido!*

Al responder a las siguientes preguntas, mejorará su comprensión de las situaciones que le enojan, y será más capaz de ver enfoques alternativos para manejar futuras interacciones a medida que surjan.

1. Describa la situación que dio lugar a una discusión.

2. ¿Cuál era su necesidad insatisfecha?

3. En una escala del 1 al 10, ¿cuánto le dolió sentir que sus necesidades no serían satisfechas?

4. ¿Cómo expresó su nivel de dolor?

5. ¿Es posible que algunos de esos sentimientos estén relacionados con su pasado?

6. ¿Cómo cree que se sintió su pareja después de que usted se expresara?

7. ¿Consiguió lo que quería después de expresarse?

8. ¿Quería demostrar que su pareja estaba equivocada?

9. ¿Había otros factores que contribuyeron al nivel de intensidad durante la discusión como el estrés, el hambre, y/o la falta de sueño?

10. ¿Había otros factores que pudieran haber aumentado el nivel de intensidad de la discusión para su pareja?

11. ¿Qué perspectiva tenía su pareja de la situación?

12. ¿Fue capaz de validar los sentimientos de su pareja? Si lo hizo, ¿cómo lo hizo? Si no, ¿por qué no?

13. ¿Qué podría haber hecho de modo diferente para satisfacer sus necesidades?

14. ¿Qué hará en el futuro para reducir la intensidad de una discusión?

Discusiones

¿Se considera a sí mismo como alguien que discute mucho? ¿Alguna vez ha cruzado su mente que sus peleas puedan estar creando condiciones de salud indeseables? Ya se encuentre discutiendo con su esposo/a, hijos, colegas de trabajo, o desconocidos, aprender estrategias de comunicación efectivas no solo ayudará a su salud, si no también a sus relaciones.

El objetivo de esta lección es lograr una comprensión del impacto de las discusiones en la salud y las relaciones, y prestar atención a la razón por la que realmente discutimos. En la próxima lección, aprenderá los distintos estilos de comunicación así como algunas estrategias para una comunicación más efectiva.

Con frecuencia, cuando imaginamos discusiones, pensamos en gritos y desprecios. Las discusiones son desacuerdos orales, oposiciones verbales, o conversaciones que impliquen distintos puntos de vista. Lo fascinante de las discusiones es que, a pesar de los efectos nocivos que puedan tener en su salud, también pueden ser *cruciales* para reforzar sus relaciones.

Lund y sus colegas estudiaron el impacto de las discusiones en la salud. Realizaron un estudio longitudinal con 10.000 adultos daneses de 36 a 52 años de edad en el año 2000. El estudio fue publicado en mayo del 2014 en el *Journal of Epidemiology and Community.* Los individuos respondieron a preguntas sobre **conflictos** con parejas, hijos, otros familiares, amigos y vecinos.

Averiguaron que los adultos de mediana edad que discutían a menudo con sus parejas tenían más del doble de probabilidades de morir a una edad relativamente temprana, comparados con los que apenas discutían. Los enfrentamientos frecuentes con amigos eran incluso más arriesgados que los conflictos con parejas ya que tenían 2.6 más probabilidades de morir prematuramente que aquellos que se llevaban bien con su grupo social. ¿Y puede adivinar con quién debería realmente evitar las discusiones? Con sus **vecinos**. Los vecinos que discuten tienen el triple de probabilidades de morir prematuramente que los que se llevan bien.

Durante los 11 años del estudio, murieron el 4% de las mujeres y el 6% de los hombres. El riesgo mostró ser más alto para los hombres que para las mujeres. Y fue más fuerte para las personas que no estaban trabajando fuera del hogar. ¿Qué nos dice esto sobre los hombres casados que trabajan desde casa y discuten a menudo?

Otro estudio de la Universidad de New Brigham Young, dirigido por Rick Miller y sus colegas, también sugiere que discutir es perjudicial para su salud. Este estudio longitudinal de 20 años se considera como uno de los más largos sobre calidad del matrimonio y salud. Se midió la calidad matrimonial de dos maneras: (1) en términos de felicidad y satisfacción, y (2) en términos de problemas matrimoniales, como discusiones.

Miller averiguó que las parejas que no discuten viven más tiempo que las que tienen continuos conflictos matrimoniales. Las parejas que discuten también eran más propensas a reportar la mala salud. Esto implica que el conflicto matrimonial es un factor de riesgo para la salud precaria. Una averiguación interesante del estudio es que los matrimonios felices tienen un componente preventivo, lo que quiere decir que mantienen a la gente con buena salud a través de los años. Las parejas amorosas inspiran hábitos que llevan a tener mejor salud, como dormir, comer mejor, y beber menos alcohol. Además, estas parejas se animan a mantener sus citas con el doctor, tomar sus medicamentos como se han prescrito, y participar en actividades saludables. Este tipo de apoyo reduce el estrés y, en consecuencia, ayuda a protegerse frente al deterioro de la salud.

Aunque los dos estudios de investigación mencionados se enfocan en los efectos negativos de las discusiones en la salud, examinemos qué más sugiere la investigación sobre el impacto de las discusiones en las relaciones.

Una encuesta, dirigida en India por Shaadi.com, en colaboración con IMRB International, concluyó que **las parejas que discuten, permanecen juntas**. Examinaron algunos de los principios esenciales para un matrimonio satisfactorio y averiguaron que la comunicación era muy importante. El 44% de las parejas casadas encuestadas creen que discutir **ayuda a mantener las líneas de comunicación abiertas**. Pero obviamente hay un límite: las parejas informaron que discutir una vez por semana puede ser el secreto para un matrimonio feliz, siempre que no sea de manera abusiva. Solo un 9% de los encuestados informó de desacuerdos *diarios*. Es interesante tomar en cuenta que fueron las mujeres, más que los hombres, quienes reportaron más a menudo tener discusiones "frecuentes."

Pelearse y abordar los problemas de manera constructiva crean una relación más libre de estrés que guardarse las cosas dentro. La cuestión es **cómo** manejan las parejas las discusiones. Las discusiones son inevitables en una relación. Entender **de qué trata *realmente* una discusión** y **qué puede hacer cada una de las partes** para apaciguar a la otra puede ayudar a resolver los problemas.

Puede que usted piense que discute porque su pareja hizo algo irrespetuoso. Pero por lo general el conflicto tiene una razón de fondo. Si se le pide a una pareja que explique por qué está discutiendo, cada uno de ellos puede identificar un hecho en concreto que él o ella creen que ha comenzado el conflicto (como "a ella se le olvidó comprar la comida que me gusta en el mercado," o "él criticó mi manera de escribir"). Es fácil fallar en la identificación de las cuestiones profundas más importantes que son provocadas por ese hecho, como la de sentir que se han dejado de lado sus necesidades personales, o sentir una amenaza a su poder personal (Markman, Stanley, & Blumberg, 2001).

La teoría de la doctora Sue Johnson es que las parejas discuten cuando se sienten desconectadas, y sus necesidades no son satisfechas. Considera que es importante que llegue a la raíz de los conflictos. Si continúa pelando las capas de la cebolla, percibirá las siguientes cuestiones de fondo:

¿Aún me quieres?
¿Aún me admiras?

¿Aún puedo contar contigo?
¿Todavía te atraigo?
¿Soy todavía importante para ti?

La doctora Sue Johnson dice que la **receptividad emocional** es la clave para el mantenimiento de una buena relación.

¿Qué es importante para la gente durante una discusión? Se publicó un estudio liderado por Keith Sanford de la Universidad de Baylor en el *Journal of Social and Clinical Psychology* en 2010. En él, se pidió a 455 participantes casados que hicieran una lista de las resoluciones que deseaban en un desacuerdo actual o permanente con sus parejas. Se pidió a los miembros de las parejas que explicaran cómo sus parejas podrían cambiar comportamientos para resolver un conflicto. Los investigadores utilizaron estudios previos para identificar dos principales preocupaciones subyacentes que tienen las parejas durante los conflictos:

(a) **percepción de negligencia**, donde a uno de los miembros de la pareja le parece que el otro está siendo desleal o no le está prestando la atención suficiente, y

(b) **percepción de amenaza,** donde a uno de los miembros de la pareja le parece que el otro está siendo **demasiado crítico o exigente**. Aquí la pareja es hostil, crítica, acusadora, o dominante.

Esto es importante ya que, si el problema de la discusión es la percepción de negligencia, entonces puede que sea suficiente con pasar más tiempo con su pareja. Por el contrario, si una persona está preocupada por su percepción de amenaza, entonces ser más flexible, comunicarse de manera más eficiente, y proporcionar una mayor confianza sería esencial.

Se pidió a los participantes que pensaran en un episodio único y específico de conflicto en su relación, y que completaran el **Inventario de Cuestiones de Fondo de las Parejas**, donde indicaban qué palabras podían emplearse para describirse a sí mismos y a su pareja durante un conflicto. Se les pidió que hicieran una lista de lo que su pareja podía hacer para resolver el problema. Los resultados mostraron que la percepción de amenaza molesta más a las parejas, y que era de suma importancia para los participantes que sus parejas estuvieran **dispuestas a ceder poder** y **abandonaran cualquier comportamiento de "confrontación."**

Cuando nos sentimos criticados, experimentamos una percepción de amenaza a nuestra posición, momento en el que queremos que la pareja se retire y dé marcha atrás. Ceder poder puede significar dar más independencia a la pareja, admitir la culpa, mostrar respeto y llegar a acuerdos.

¿Cuál es la solución? Parece que un buen punto de partida es la reducción de la frecuencia de los conflictos ya que afectan nuestra salud, comunicándose al mismo tiempo con asertividad para desarrollar una relación más duradera. En resumen, podría enfocarse en los tres puntos siguientes:

Técnicas de Comunicación y Escucha

1- Entender sus propios deseos/necesidades.

2- Comunicar sus deseos de manera asertiva.

3- Limitar la frecuencia de las conversaciones delicadas o las confrontaciones. Escoja sus batallas.

La siguiente lección cubrirá los distintos estilos de comunicación y técnicas de comunicación asertiva para las conversaciones delicadas. ¿Alguna vez ha estado en una situación en que todo lo que hizo fue expresar lo que pensaba, y creyó que lo hizo de manera agradable, y sin saber cómo, la persona receptora se puso defensiva y le atacó verbalmente? Mucha gente ha pasado por eso, y por eso es esencial aprender técnicas de comunicación asertiva. La mayor parte de la comunicación se realiza mediante el lenguaje corporal (67%), seguida por el tono (26%) y, en la menor medida, mediante el contenido (7%).

Comprendiendo los Estilos de Comunicación

Pasivo: Las personas pasivas tienen dificultades para expresar sus preocupaciones y sentimientos y tienden a guardarlos en su interior. Esto les lleva a esperar de manera infructuosa que las situaciones mejoren. Como tienen dificultades para expresar sus pensamientos, el comunicador pasivo necesita que los demás lean su mente y descifren los pensamientos y necesidades que les angustian. Estos individuos con frecuencia dan la sensación de ser tímidos y reservados.

> ➤ La desventaja de este estilo es que con frecuencia las necesidades del individuo no se ven satisfechas, y esto le lleva al resentimiento.

Agresivo: Los individuos agresivos son capaces de expresar sus pensamientos y sentimientos; sin embargo, lo hacen a costa de ofender a aquellos con quienes se comunican, teniendo poca o ninguna consideración por los derechos y sentimientos de la otra persona. Tienden a carecer de límites y tienen necesidad de controlar su entorno y sus relaciones.

> ➤ Aunque puede que estas personas consigan lo que desean a corto plazo, la consecuencia de este estilo es que entran en conflicto con los demás, pierden relaciones, ponen en riesgo sus carreras profesionales y ofenden a muchos.

Pasivo-Agresivo: La mayor parte de la gente tiende a ser pasivo-agresiva y tiene dificultades para expresar sus pensamientos y sentimientos claramente. Como consecuencia, recurren a formas indirectas de comunicación, como el sarcasmo, para transmitir lo que quieren decir, en vez de hablar directamente de lo que les preocupa. Los individuos pasivo-agresivos rehúyen el conflicto o la tensión, pero a pesar de ello desean que los demás sepan cómo se sienten. Estos individuos muestran su frustración pero no se expresan verbalmente y sus palabras no coinciden con su comportamiento.

> ➤ Estos individuos no se sienten escuchados ni comprendidos, a pesar de sus intentos de comunicar su frustración.
> ➤ Aunque estas personas traten de evitar el conflicto, su comportamiento crea tensión en sus relaciones, desembocando con frecuencia en un ambiente tóxico. Seguro que puede imaginar la confusión y la frustración del que es recipiente de este estilo.

Asertivo: El enfoque asertivo se considera la manera más saludable y efectiva de comunicación. Una persona asertiva expresa pensamientos y sentimientos de forma clara y directa de una manera respetuosa. El objetivo es el entendimiento mutuo en vez de demostrar que la otra persona está equivocada. Es un enfoque en que ambas partes se benefician. La gente asertiva es directa, con lo que reduce la posibilidad de malentendidos. Esto no quiere decir que los demás no se vayan a disgustar por lo que les está diciendo, pero como lo hace de manera tan respetuosa y diplomática, su mensaje es mejor recibido. La comunicación asertiva tiene las mayores posibilidades de conseguir el resultado deseado. Este estilo también fomenta una sensación de confianza en los demás ya que serán conscientes de que usted es un comunicador honesto y directo.

Estilos de Comunicación – Asertividad

Recuerde, el objetivo de ser asertivo es expresar respetuosamente sus pensamientos y sentimientos. También desea escuchar la perspectiva y las preocupaciones de su interlocutor.

1. Utilice afirmaciones sobre usted- Cuando hacemos afirmaciones sobre nuestro interlocutor, éste tiende a ponerse a la defensiva. Es un lenguaje de ataque. El formato a seguir es: *"Me parece que _____.*

2. Exponga el comportamiento específico de la otra persona. Formato a seguir: *"Cuando tú _____."* *Por ejemplo: "Me siento abrumada cuando no entregas el informe a tiempo."*

3. Admita por qué cree que la otra persona actuó o no actuó de una manera concreta, y hágale saber lo que usted comprende. *Nos gusta sentirnos escuchados y comprendidos. Esto generalmente reduce la posibilidad de ponerse a la defensiva.*
   Por ejemplo: "Entiendo que estás muy ocupada y que a veces es casi imposible…"

4. Diga lo que quiere con respeto. *Formato a seguir: "Me gustaría que tú _____." Por ejemplo: "Me gustaría que entregarás el informe a tiempo."*

5. *Diga por qué es importante (haga una lista de razones para lo que quiere). Por ejemplo: "esto es importante para mí porque cuando tu informe no llega a tiempo, mi informe también se retrasa, y no quiero tener problemas. También es importante porque así no me estreso ni me preocupo tanto."*

6. *Conozca algunas alternativas. Hacer un listado de alternativas puede incrementar la posibilidad de un cambio eventual. Por ejemplo: "Si no puedes entregar el informe a tiempo, haz el favor de comunicármelo con antelación para que pueda prepararme mejor."*
   "Potencialmente, también puedo ayudarte con el informe si tengo tiempo."

MANTÉNGASE ALEJADO DE … ya que crea una actitud defensiva en los demás
Palabras absolutas como "siempre," "nunca," "todos," o "nadie."
   1. "Te lo dije."
   2. "Deberías o podías haber…"
   3. Dar consejo
   4. Afirmaciones sobre el otro
   5. Preguntas del tipo "¿Por qué?"… son acusatorias
   6. Mencionar a otras personas en la conversación… "_____ piensa lo mismo acerca de ti."
   7. "Me parece que eres _____"

Practique mediante juegos de rol. ¿Cómo se sentiría sobre el mensaje si estuviera en el lado receptivo? ¿Qué podía haber hecho para hacerlo más eficaz?

ESCENARIOS de Juego de Roles para Practicar la Comunicación Asertiva

Formato para comunicarse de manera asertiva:

Me siento _____ (frase de sentimiento) cuando tú _____ (comportamiento específico).

Entiendo que _____ (explique lo que entiende).

Me gustaría _____ (exponga lo que quiere).

Esto es importante para mí porque _____ (liste razones de la importancia).

Algunas alternativas son _____ (liste algunas alternativas).

Ejemplos de comunicación asertiva:

Me siento abrumada cuando no entregas el informe a tiempo. Entiendo que estás muy ocupada y que a veces es casi imposible. Me gustaría que entregaras el informe a tiempo. Esto es importante para mí porque cuando tu informe no llega a tiempo, mi informe también se retrasa, y no quiero tener problemas. También es importante porque así no me estreso ni me preocupo tanto. Si no puedes entregar el informe a tiempo, haz el favor de comunicármelo de antemano para que pueda prepararme mejor. Potencialmente, también puedo ayudarte con el informe si tengo tiempo.

Practique la comunicación asertiva empleando los siguientes escenarios de muestra:

1. Llega del trabajo y la casa está desordenada. Ha compartido con su pareja la importancia de mantener la casa en orden.

2. Un compañero de trabajo muchas veces deja el trabajo sin terminar; como consecuencia, usted tiene que completarlo.

3. Es la víspera de Año Nuevo y solo quedan 30 minutos para la cuenta regresiva. ¡El taxi que ha pedido llega 10 minutos tarde y le quiere cobrar el doble!

4. Cuando expresa sus sentimientos y preocupaciones sobre su relación a su pareja, el otro empieza a compartir sus pensamientos y no presta atención a sus sentimientos.

5. Aunque su amigo conoce sus problemas financieros, constantemente le pide viajes gratuitos y no ofrece dinero para la gasolina.

6. Su compañero de apartamento le dice que no va a poder pagar la renta de este mes. Usted recibe esta información el día que hay que pagar la renta. Es la tercera vez que ha hecho esto.

7. Su jefe desacredita sus esfuerzos en el trabajo y se enfoca solo en sus errores.

8. Llama a su amigo para hacer planes sin embargo le dan una excusa para rechazar su ofrecimiento. Su amigo ha cancelado sus planes con usted varias veces el mes pasado.

Habilidades de Escucha Activa

Las conversaciones pueden ser difíciles, especialmente cuando las personas tienen problemas persistentes entre ellas o tienen algo que perder. Una conversación con la pareja, un amigo, un familiar, un compañero de trabajo, un jefe, empleado, vecino o uno de sus propios hijos puede desencadenar sentimientos dolorosos, resentimientos, e ira que pueden escalar hasta convertirse en una discusión que no lleva a ninguna parte y solo empeora las cosas.

Sin embargo, empleando una o más de estas sencillas *técnicas de escucha activa* listadas a continuación, una conversación importante se puede transformar de destructiva en constructiva.

Una manera conveniente de recordar las distintas técnicas (herramientas) es agruparlas junto a las cuatro fases básicas de una conversación típica de "escucha activa".

I.   Escucha activa
II.   Proporcionar retroalimentación
III.   Profundizar la conversación
IV.   Terminar la conversación

ESCUCHA ACTIVA

1. *Anime a la persona a que hable:* "Pareces disgustada. ¿Te gustaría hablar de ello? A veces hablar ayuda."
2. *Postura de Escucha Activa:* siéntese cómodamente, relájese, y haga contacto visual. Esto permite al otro saber que son libres de hablar sin interrupciones o sin ser recibidos con una actitud defensiva.
3. *Permita los Silencios*: Incluso si su interlocutor hace una pausa, no le interrumpa. Deje que asienten sus pensamientos o quizá reúnan el valor para decir algo que se han estado guardando.
4. *Parafrasee / Reafirme:* De vez en cuando, para comprobar sus propias percepciones y confirmar a la otra persona que está prestando cuidadosa atención, resuma o parafrasee lo que han estado diciendo: "Creo que me has estado diciendo _____. ¿Es eso correcto?" "¿Estoy entendiendo bien?"

PROPORCIONAR RETROALIMENTACIÓN

1. *Receptividad y Calidez:* Sólo su comportamiento físico puede ser suficiente para animar a otra persona a que hable con libertad. Sonría. Asiente con la cabeza. Mantenga ese contacto visual.
2. *Reflexionar:* Repetir de vuelta los aspectos emocionales de lo que se está comunicando a través la incorporación de frases de sentimientos permite a la persona que está hablando saber que usted está escuchando, entendiendo y mostrando empatía. Por ejemplo: "Parece que sientes que tus amigos se están aprovechando de ti."

3. **Apoyar, alentar los comentarios**: Simplemente responder con frases cortas, alentadoras como "eso está muy bien" o "bien por ti" puede hacer milagros: "¡Genial!" "Eso ha requerido valentía por tu parte."

4. **Reconocer, Validar, Mostrar Empatía:** Reconozca los sentimientos y problemas de la persona. Esto permite al otro saber que usted entiende a qué se refieren: "Puedo entender que tu linea de pensamiento resulte perjudicado cuando te interrumpo."

5. **Revelación personal, contar su experiencia**: En ocasiones, dependiendo de la situación, contar sus propias experiencias y sentimientos puede servir de reconocimiento para la persona, para que se dé cuenta de que está experimentando emociones normales, que no están "locos". La cuestión es cómo pueden aprender a manejar estas emociones de una manera más efectiva.

PROFUNDIZAR LA CONVERSACIÓN

1. **Nombrar las emociones:** A veces la otra persona no tiene claro lo que está sintiendo. Después de escucharles, puede decirle algo como, "Parece que te estás sintiendo dolido y enfadado, no 'decepcionado'."

2. **Indagar**: hacer preguntas es un arte que se puede hacer sin que la otra persona se sienta interrogada, lo que podría ponerles a la defensiva. "Cuéntame más," "¿Qué sucedió después?", "¿Cómo te sentó?", "¿Cómo te sentó en una escala del 1-10?" o, "¿Fue difícil?" Puede mantener la brevedad con: "¿Cómo? ¿Cuándo? ¿Dónde?"

3. **Interpretar:** Ofrecer algunas sugerencias sobre los sentimientos, necesidades y preocupaciones de la otra persona, tiene la intención de darles perspectiva interior y hacer más fáciles las experiencias futuras con esos sentimientos.

4. **Consecuencias:** En una etapa más profunda de la conversación, la persona puede estar preparada para empezar a examinar el impacto de su estilo de comunicación en los demás, y enfrentar el precio que han estado pagando por una mala comunicación precaria. Haga preguntas relacionadas con esas consecuencias: "¿Has pensado en que gritar a la gente puede hacer que se cierre al dialogó infundir miedo?" En el trabajo, "¿Cómo manejaste esa situación y cómo resultó? ¿Ayudó en algo?"

5. **Mensajes en primera persona (Yo):** "Cuando tú _____ yo me siento_____," o, "Necesito decirte _____," o, "La manera en que yo lo veo es_____" son aspectos importantes de la escucha activa que muestran que cada persona tiene un punto de vista que no es una postura acusatoria, "correcta/equivocada" sino un mensaje realista entre "tú/yo".

TERMINAR LA CONVERSACIÓN

1. **Redirigir:** Si parece que la persona que está hablando se está alterando y disgustando aún más, entonces eso puede ser una señal de que es hora de cambiar de tema o incluso de detener la discusión del todo por el momento, y sugerir que la charla continúe otro día.

2. **Resumir:** Una manera de terminar la conversación es resumir lo que los dos han estado hablando, repetir cuál es el problema, y decidir un objetivo, como encontrar una mejor manera de lidiar con un problema.

3. **Plan de Acción:** Quizá la conversación pueda terminar acordando la realización de una tarea o de algo que practicar (esperar a calmarse antes de responder a una situación que nos

disguste, por ejemplo). Una vez que una "buena comunicación", ha tenido lugar el camino está abierto para que haya más.

HÁBITOS DE ESCUCHA PERJUDICIALES

Hay muchas circunstancias en que la personas interrumpen el flujo de una buena comunicación. Examinemos algunos de esos hábitos de escucha perjudiciales.

1. Juzgar a la persona que habla.
2. Asumir que sabe lo que el otro va a decir.
3. No estar en contacto con sus propias emociones sobre lo que se está hablando.
4. Interrumpir al que habla.
5. Cambiar de tema sin admitirlo.
6. Ignorar al otro cuando habla.
7. Parecer distraído cuando alguien le está hablando. *Deje su teléfono a un lado.*
8. Tratar de articular su respuesta en vez de estar presente con la persona que le habla.
9. Ofrecer soluciones/ o arreglar el problema.

Estos son unos cuantos ejemplos de afirmaciones con las que puede trabajar por el momento. Trate de utilizar todas las técnicas de escucha activa posibles para sentirse más cómodo con el manejo de las herramientas.

1. Su compañero de trabajo le dice lo siguiente:
   Realmente creo que hay favoritismo en nuestra compañía. Nunca consigo que aprueben mis peticiones mientras que parece que todos los demás consiguen siempre lo que quieren. Me pasa esto todo el tiempo.

2. Su madre le dice lo siguiente:
   Desearía que me llamaras más a menudo porque te echo de menos. Me he sentido sola, y por supuesto me preocupo por ti. Parece que tanto tú como tu hermano tienen vidas muy ocupadas. No me di cuenta de lo sola que me iba a acabar sintiéndome .

3. La persona más significativa en su vida le dice lo siguiente:
   Realmente necesito ayuda con la casa. Te lo he pedido varias veces, pero realmente me gustaría que hicieras las cosas sin tener que pedírtelo. Tengo muchas cosas en la cabeza, así que realmente me ayudaría que hicieras algunas de las tareas por aquí.

LLAMADA A LA ACCIÓN: Pruebe a practicar técnicas de escucha activa con sus seres más cercanos.

¿Y Si la Gente No Me Responde?

¿No sería maravilloso si la gente respondiera como nosotros queremos? Si ha estado practicando las técnicas que ha aprendido en su clase de control de la ira y aún así no está consiguiendo los resultados que le gustarían, continúe trabajando en sí mismo.

A veces es difícil entender por qué una persona no responde. Puede que las razones no sean obvias, ni siquiera para ellos. Pero no se dé por vencido. Lea lo que sigue a continuación para ver si algo tiene que ver con usted y puede estar contribuyendo a la razón para que la otra persona no responda positivamente a sus intentos de participar en una conversación delicada:

1. **"No sirve de nada."** A veces la gente no participa en conversaciones sensibles con usted porque no creen que vaya a servir de nada. Probablemente han tenido interacciones con usted en el pasado en que acabaron sintiéndose como perdedores. Y puede que no hayan tenido experiencias de contraste en las que sintieron que sus deseos y necesidades fueron atendidos. Una conversación sensible requiere esfuerzo e inversión emocional. ¿Quién querría hacer todo ese esfuerzo para tener una conversación sensible si no les va a hacer ningún bien? Tendrá que encontrar maneras de mostrar su receptividad a las opiniones y necesidades de la otra persona, empezando con conversaciones más breves y después, con el tiempo, su confianza estará lo suficientemente restaurada como para arriesgarse a participar en conversaciones *sensibles*.

2. **La necesidad de sentirse a salvo.** Puede que la otra persona no se sienta "a salvo" en una conversación con usted. Puede que se sientan ofendidos o que no tengan la certeza de que usted quiere lo mejor para ellos.

3. **Seguridad Situacional frente a Seguridad Relacional:** La *seguridad situacional* quiere decir que es solo en esta *conversación en particular* donde no se sienten a salvo con usted (en cuyo caso la aplicación de algunas de las técnicas de comunicación que ha aprendido puede serle útil). Por otra parte, la seguridad relacional quiere decir que la otra persona no se ha sentido a salvo o respetada en conversaciones con usted durante un largo periodo de tiempo (en cuyo caso el problema no cederá a la simple aplicación de unas pocas "técnicas"). Primero tendrá que reconocer qué puede haber contribuido al sentimiento de la otra persona de "no estar a salvo" y debe comprometerse a cambiar de comportamiento. Y *hacerlo*. La comunicación respetuosa y la seguridad no estarán completamente restauradas hasta que usted haya cambiado sus acciones. Entonces, con tiempo, verá que la gente empieza a sentirse más segura con usted y que empiezan a participar de manera más abierta en *conversaciones sensibles*.

4. **No es Mutuo:** Otra posibilidad es que puede que la otra persona se sienta cómoda hablando con usted de ciertos temas, pero cuando se trata de una conversación sensible *específica*, no hay ningún beneficio para ellos. Para tener *esta* conversación, necesitan tener un *propósito, problema o meta común*. La conversación delicada que usted necesita tener es una en la que les ayude a entender los importantes beneficios de mantener esa conversación con usted para resolverla de una manera u otra y no dejarla pendiente.

5. **Excesiva necesidad de atención:** Algunas personas quieren tener una "conversación delicada" sobre cada pequeño asunto. Siempre hay algún problema del que creen que es necesario hablar. Esto puede resultar agotador para los demás que empezarán a verle como alguien que necesita "atención excesiva" y a quien querrán evitar. La idea de otra conversación extensa es demasiado agotadora como para considerarla. Aprenda a dejar pasar algunas cuestiones; sea más comprensivo y tolerante. Empiece a reconstruir su seguridad relacional creando interacciones revitalizadoras y agradables. Deje de crear un entorno pesado. Usted *desea* que los demás encuentren las interacciones con usted divertidas y placenteras, así que cambie la experiencia que tienen de usted cambiando por completo la clase de interacciones en que participan. Un poco más de tolerancia y paciencia por su parte puede resultar en que ellos quieran hablar con usted sin temor al "agotamiento por su excesiva necesidad de atención".

Resumen: Con suerte, estas observaciones y sugerencias le ayudarán a reflexionar sobre lo que suceda en sus diferentes relaciones en lo que se refiere a conversaciones delicadas, y le dará algunas ideas para ayudarle a crear los resultados que son importantes para usted. Aunque *estas técnicas no garantizan que la gente responda, aumentan la posibilidad de que ambos se sientan comprendidos*. Al menos, podrá decirse a sí mismo que lo intentó.

Joseph Grenny es el autor de tres best-sellers: Influencer, Crucial Conversations, y Crucial Confrontations.

Reducir la Intensidad de una Discusión

Las personas en relaciones tienden a desarrollar su propio estilo para comunicarse entre ellos y manejar los conflictos. En ocasiones se quedan atrapados en un praton(acento en la (o) de respuesta y no tienen la flexibilidad para probar otras técnicas que pueden funcionar mejor. Por ejemplo, una de las personas puede ser más tolerante y estoica, mientras que la otra puede ser más apasionada o emocional. Generalmente, es la más apasionada y emocional la que acaba cargando con toda la preocupación o ira en la relación, y se puede sentir excluida por la que es más estoica y menos reactiva. Cuanto más se empujen entre ellos para lograr el tipo de respuesta que quieren, más se intensificarán las cosas de una manera negativa. Esto crea un nivel elevado de ansiedad en la relación porque ninguno de los dos sabe lo que la otra persona está pensando o sintiendo.

Dado que los individuos pueden haber desarrollado estilos que son más como el agua y el aceite juntos, examinemos algunas estrategias que pueden ayudarles a despegarse de los estilos que no funcionan y a descubrir maneras de expresar preocupación, simpatía y empatía por el otro. Con un poco de suerte, esto resultará en una resolución más suave de la situación, en vez de en otra discusión.

Seleccione las estrategias que considere que podrían ser utiles(acento en la (u) para usted con su propia situación relacional:

1. Cuando una discusión se haga agobiante, y usted sienta que necesita su espacio, no deje de comunicárselo al otro. Explique que necesita espacio para procesar sus propias emociones, pero que volverá a la discusión en un periodo de tiempo específico.

2. Cuando alguien esté hablando y dándole más información de la que puede tomar de una sola vez, pida un descanso. Reconozca que lo que están diciendo es importante, y que quiere prestar su atención por completo, pero que sería más beneficioso tomarse un pequeño descanso para que así pueda reflexionar sobre lo que se está hablando. No siga intentando escuchar cuando no puede darle su atención completa a la otra persona ya que esto solo creará más conflicto.

3. Absténgase de "arreglar" o "solucionar problemas." En vez de eso, incorpore técnicas de escucha activa. Sea una caja de resonancia para la otra persona; anímeles a hablar. Les ayudará en sus dificultades. Habitualmente es el menos emocional el que intenta "arreglar" el problema. Creen que están siendo considerados, pero en realidad esto no hace más que empeorar las cosas. El mensaje que recibe la otra persona es, "No puedes manejar la situación cuando estoy disgustado, y quieres que me sienta bien de inmediato."

4. Cuando alguien está disgustado, no tiene que sentirse culpable por sus problemas. Es fácil sentirse culpable o responsable cuando se comunican de maneras que hacen que parezca que es su culpa. Haga lo que pueda por escuchar, entender, y reconocer.

5. Incluso en el caso de que se lo pidan, no ofrezca sus opiniones, consejo, o solución alguna porque también implica, que usted sabe más de lo que es mejor para ellos, que ellos mismos. En vez de ello, pregúnteles qué opciones han considerado, y qué ventajas y desventajas creen que puedan tener cada una de ellas. Esto reforzará que lo que ellos piensan es valioso e importante, y que tienen lo que hace falta para tomar buenas decisiones.

6. Los malentendidos están detrás de muchas discusiones agitadas. Es muy fácil que una discusión

se descarríe de esta manera. Por tanto, antes de responder, hable con su compañero para asegurarse de que le está entendiendo correctamente. Por ejemplo, "Entiendo que estás diciendo que estás decepcionado conmigo porque no colaboro en casa tanto como quisieras, ¿es correcto eso? Una vez le den la luz verde, responda y ofrezca su punto de vista.

7. Tendrá desacuerdos de perspectivas y opiniones. Cuando esto suceda, pregunte cómo ha llegado su compañero a esas conclusiones antes de responder. Reconozca lo que le gusta sobre su manera de pensar. Usted puede entender por qué han llegado a sus conclusiones sin necesariamente estar de acuerdo con sus puntos de vista.

8. Absténgase de dar falsas esperanzas, o hacer afirmaciones pacificadoras. Por ejemplo, no diga "Va a salir todo bien." Usted no lo sabe, y oírlo no ayuda realmente. También está bien si la otra persona llora. Intente ofrecer apoyo escuchando y estando ahí para ellos.

9. Reconozca sus sentimientos. Evite frases cliché como "No te preocupes," o "No te sientas así." De hecho, estas afirmaciones invalidantes pueden hacer que una persona sienta que no es escuchada. "Puedo ver cómo afecta tu horario cuando no cumplo con mi parte en las tareas domésticas"

10. Etiquetar los sentimientos de ira y decepción que puede ver que la otra persona siente hacia usted: "Estás insatisfecho conmigo porque _____." Esto suavizará el ataque porque se sentirán escuchados y comprendidos.

Resolución de Conflictos

Cuando usted es el objetivo de la ira o la decepción de otra persona, puede resultarle difícil mantener la calma y emplear las herramientas que ha aprendido para combatir este tipo de situación, especialmente si la otra persona le está bombardeando con gritos y amenazas. Puede que acabe recayendo en viejos estilos de afrontamiento, como gritar de vuelta o ponerse a la defensiva. Tales respuestas proceden por lo general de una falta de solidez interna sobre sus creencias y principios. Requiere algo de tiempo, pero una vez se haga más consciente de sí mismo, será capaz de manejar estas situaciones con mayor eficacia.

En algunos casos, puede que ambas partes se pongan emocionales y a la defensiva al mismo tiempo, atacándose entre ellas, y tratando de expresar sus puntos de vista cuando el otro no está escuchando. Esto hace que la situación empeore, ya que ninguno de los dos se puede calmar lo suficiente como para romper este ciclo de gritos mutuos.

Sea cual sea la situación, practicar una o más de las nueve estrategias siguientes puede resultar útil:

1. Acepte que va a cometer errores. Esto le permite echarse una mirada sincera de a sí mismo entendiendo sus faltas objetivamente en vez de culpabilizándose.

2. Cuando hay algo de cierto en la crítica que le está haciendo la otra persona, muéstrese de acuerdo, y afirme cómo eso ha podido contribuir al problema actual. Esto ayudará a reducir la intensidad de la discusión porque la otra persona se sentirá escuchada y comprendida.

3. Afirme específicamente por qué se está disculpando, en vez de pronunciar un simple "Lo siento." Exprese su remordimiento con sinceridad, y simpatice con las preocupaciones de la otra persona. Reconozca cómo les ha impactado lo que usted hizo.

4. Si hay cambios específicos que puede hacer, comparta esto con el otro individuo. Sin embargo, asegúrese de que cumple con lo prometido. Si el cambio no es realista, no haga falsas promesas.

5. Una vez haya sido confrontado por alguien, explore si su queja es razonable. Consulte la situación con algunos amigos que parezcan tener buenas relaciones y pídales su opinión. Si se da cuenta de que hay sin duda cosas sobre sí mismo que podría cambiar para mejorar las cosas, tome algunos pasos en esa dirección. Sin embargo, asegúrese de que estos pasos encajan con quien usted es. Si asume más "cambio" del que se siente preparado para llevar a cabo, puede acabar resintiéndose.

6. Está bien si decide no realizar ningún cambio. Lo importante es que ha escuchado al otro, y ha mostrado compasión y empatía por sus quejas sobre usted. Sea sincero cuando les informe de que aunque puede entender su perspectiva sobre usted, no planea realizar cambios en este momento.

7. Si hay alguien en su vida que es muy generoso, asegúrese de corresponderle. Ofrezca actos de amabilidad, su tiempo, o lo que parezca apropiado. Pregunte si puede ayudar o contribuir de cualquier manera.

8. Si la otra persona tiende a ser pasiva y no expresar sus deseos y necesidades, ayúdeles preguntando por sus preferencias. Es fácil que las decisiones salgan como usted quiere, pero entienda que el otro puede acabar sintiéndose silenciosamente resentido. Recuerde tomar turnos sobre sugerencias o la toma de decisiones.

9. Si hay antiguos asuntos que siguen surgiendo en una relación, es señal de que algo se ha dejado sin resolver. Practique sus técnicas de escucha recién aprendidas y ofrezca su apoyo y atención. También podría preguntar qué ha provocado el antiguo asunto en este momento. A muchos les resulta frustrante tener que hablar de viejos asuntos una y otra vez. Sin embargo, la gente necesita procesar los problemas subyacentes para que las relaciones progresen.

Cuando las Cosas se Ponen Bastante Mal y que han intentado Otras Estrategias

En muchas relaciones, una persona aprende que tiene que gritar para ser escuchada. Si el otro guarda silencio, el primero grita todavía más. Por desgracia, esto crea problemas.

Cuando cree que una discusión se está yendo de las manos, es fácil sentirse impotente y deshabilitado. Recuérdese a si mismo que la otra persona está gritando porque también ellos se sienten impotentes y suben el tono como una manera de ser escuchados.

A continuación hay una lista de estrategias que pueden ser útiles en este tipo de situación:

1. SI no es capaz de participar en una conversación calmada, salga de la habitación y haga algo para tranquilizarse. Asegure(lleva acento en la segunda (e) a la otra persona que hablarán de esto más tarde.

2. Si usted tiene la fuerza para soportar la tormenta, enfóquese en la otra persona. Mientras les mira, no deje de preguntarse, "¿Qué es lo que le duele realmente a el/ ella?" Esto es especialmente difícil de hacer mientras está siendo atacado.

3. Señale lo que sucede, y pida lo que quiere. Si está asustado, dígale a la otra persona que sus gritos le están asustando. Puede incluso decir, "No me gusta que estemos discutiendo. Me gustaría mucho que nos diéramos un abrazo y oír que vamos a estar bien."

4. Cuando vea un espacio, muestre que entiende el punto de vista del otro.

5. Cuando las dos partes en una discusión están muy agitadas, no es buen momento para tratar de razonar o mostrar su desacuerdo con ellos. Las personas son incapaces de oír cuando están furiosos. Deténgase. Espere. Resuélvalo más tarde.

Inteligencia Emocional y Empatía

Identificar sus emociones y entender los comportamientos de los demás

¿Qué es la Inteligencia Emocional (IE)?

IE es una clase de inteligencia cuyo enfoque es la competencia social y emocional. Incluye la capacidad de entender cómo usted impacta a los demás y cómo los demás le impactan a usted, y de utilizar esa información para ayudarle a desarrollar mejores relaciones con la gente en su vida. Además, la inteligencia emocional significa entender sus pensamientos y emociones, y utilizar esa información para controlar su comportamiento y acciones de acompañamiento.

Daniel Goleman, un célebre psicólogo, popularizó la noción de inteligencia emocional. Según sus obras, las siguientes cualidades reflejan algunos de los componentes clave de la inteligencia emocional que pueden ayudar a la gente a interactuar de manera más eficaz con los demás en diversas situaciones. Entre los componentes se incluyen:

1. **Autoconocimiento** --- la capacidad de entenderse a sí mismo, incluyendo sus pensamientos y sus sentimientos
2. **Autocontrol** --- la habilidad para controlar sus impulsos y comportamientos, y adaptarse a situaciones incómodas en las que usted u otros se vean envueltos
3. **Habilidad social** --- el conocimiento de cómo impacta usted su entorno y cómo le impactan los demás a usted, y la habilidad para utilizar ese conocimiento para mejorar sus relaciones
4. **Empatía** --- la habilidad para considerar y entender las perspectivas y sentimientos de los demás

¿Qué Es la Empatía?

La empatía, una de las piedras angulares de la inteligencia emocional, es una habilidad particularmente efectiva que puede emplear para aliviar sentimientos de ira. La capacidad para ver la vida a través de la perspectiva de otra persona, también conocido como *"ponerse en los zapatos del otro"* es la esencia de la empatía. Es la comprensión intelectual y emocional de los sentimientos, pensamientos y/o experiencias de otra persona. Accediendo a sus propias emociones, las que son similares a las que la otra persona está sintiendo en el momento, usted tiene la oportunidad de entender y relacionarse mejor con él o ella.

¿Por Qué Utilizamos la Empatía?

Utilizamos la empatía para transmitir nuestra comprensión de nuestros seres queridos, así como para relacionarnos mejor con sus experiencias. Al hacerlo, se crea una conexión y la intimidad comienza a desarrollarse. Cuando la gente tiene la sensación de que trata de entender su situación, la confianza, la receptividad y la seguridad emocional crecen. Además, cuanto más utilice la empatía, más notará el aprecio que los demás muestren por su comprensión. Finalmente, un grado más alto de empatía resulta en relaciones más saludables, significativas y respetuosas.

¿Cómo Utilizamos la Empatía?

Aprender a utilizar la empatía es un proceso que requiere tiempo, pero no es difícil de hacer. Cuando esté en una situación con un ser querido que esté disgustado, vea si puede identificar lo que está sintiendo la otra persona. Si no está seguro, intente recordar sus propias experiencias de situaciones similares, y vea qué sentimiento surge en usted. Lo más seguro es que la emoción que usted sintió pueda ser similar a la que la otra persona está sintiendo en este momento. Después, trate de comunicarles esa información con delicadeza y compasión. Puede decir algo como, "Teniendo en cuenta lo que ha sucedido, probablemente te estás sintiendo triste/herido/asustado ahora mismo, y quiero que sepas que me preocupo por ti." Al hacer esto, está validando los sentimientos de alguien más, lo que aumentará la posibilidad de que esa persona se sienta escuchada y comprendida.

Ejercicio: Acceder a la Inteligencia Emocional

Basado en la información que acabamos de mencionar, el siguiente ejercicio puede ayudarle a identificar sus reacciones a los comportamientos de la gente, entender cómo se correlacionan con su comprensión de sus comportamientos, y utilizar la información cuando comunique sus preocupaciones y necesidades.

Lea y complete las siguientes frases con: (1) su interpretación o pensamiento acerca de la situación y (2) sus sentimientos sobre cómo percibió el acto. Por ejemplo:

"Cuando no hablaste conmigo de lo que te estaba molestando, pensé que eso significaba que no confías en mí, y acerca de eso me sentí excluido y dolido."

1. *"Cuando me corregiste delante del jefe y del resto del equipo,*

   _____

   _____ *, y acerca de eso me sentí* _____ *"*

2. *"Cuando llegué a casa del trabajo y no me saludaste, pensé*

   _____

   _____ *y acerca de eso me sentí*_____ *"*

3. *"Cuando te burlaste de mí delante de mis padres, pensé*

_____ *y*

acerca de eso me sentí _____ *"*

4. *"Cuando saliste con tus amigos y regresaste a casa mucho más tarde de lo que habías prometido, pensé*

_____ *y acerca de*

eso me sentí _____ *"*

5. *"Cuando me enteré de que habías compartido mi información confidencial con otros sin mi conocimiento, pensé* _____

y acerca de eso me sentí _____ *"*

6. *"Cuando utilizaste tu bonus para comprar una televisión nueva en vez de pagar nuestra deuda, pensé*

_____

y acerca de eso me sentí _____ *"*

7. *"Cuando miras al teléfono mientras hablo contigo, pienso*_____

_____ *y acerca de eso*

me siento _____ *"*

8. *"Cuando miras a otros hombres/mujeres mientras estoy contigo, pienso* _____

_____ *y acerca de eso me siento* _____ *"*

Note que en cada ejemplo, la frase dice *"me sentí/me siento"* antes de que se exprese un sentimiento, por contraste con "me hiciste sentir." El razonamiento detrás de esta elección de palabras es que nadie puede *"hacer"* que se sienta de cierta manera. Cada persona es dueña de sus acciones individuales, y usted tiene la responsabilidad de interpretar y percibir las acciones de otra gente de cualquier manera que elija. En otras palabras, es su *percepción* de las acciones o palabras de otros la que provoca que se sienta de cierta manera.

Ahora, vuelva al ejercicio y compruebe si ha respondido a alguna de las afirmaciones con palabras relacionadas con la ira. ¡Tenga en cuenta que hay casi 130 palabras en la familia de la ira! Si lo hizo, revise la lista y trate de identificar algunas otras emociones que puedan estar por debajo de su ira. Es muy fácil recurrir a "Estoy enfadado," así que el reto es identificar y expresar la emoción subyacente y primaria (p. ej., triste, dolido, asustado, rechazado). Puede que no sienta la emoción primaria de manera tan intensa como la ira, pero apúntela de todas maneras.

Acceder a la Empatía

¿Cómo identifica actualmente las emociones de los demás? ¿Lo hace mediante el lenguaje corporal? Si es así, ¿qué busca? Parte de la Inteligencia Emocional es entender lo que nos sucede durante un incidente. Cuando trate de expresar sus emociones, tómese un momento para salir de sus zapatos y ver la perspectiva del otro.

En cada situación que se le ha presentado en el ejercicio anterior o que le ha provisto su facilitador, identifique maneras de entender las razones por las que alguien puede haber actuado de una manera particular. Tenga en cuenta que esto implica ponerse en sus zapatos de manera neutral sin mostrarse suspicaz o desconfiado de sus acciones.

A continuación verá las mismas situaciones de la lista anterior. Repáselas de nuevo. Esta vez, sin embargo, describa razones para el comportamiento de la persona poniéndose en sus zapatos. Por ejemplo, para la siguiente situación:

No hablaste conmigo de lo que te estaba molestando. Quizá sea porque he reaccionado con ira en el pasado, y te preocupaba que pudiera responder de manera similar.

1. *Situación: Me corregiste delante del jefe y del resto del equipo.*
   _____

2. *Situación: Llegué a casa del trabajo y no me saludaste.*
   _____

3. *Situación: Te burlaste de mí delante de mis padres.*
   _____

4. *Situación: Saliste con tus amigos y regresaste a casa mucho más tarde de lo que habías prometido.*
   _____

5. *Situación: Me enteré de que habías compartido mi información confidencial con otros sin mi conocimiento.*
   _____

6. *Situación: Utilizaste tu bonus para comprar una televisión nueva en vez de pagar nuestra deuda.*
   _____

7. *Situación: Miras al teléfono mientras hablo contigo.*
   _____

8. *Situación: Miras a otros hombres/mujeres cuando estoy contigo.*
   _____

Cuanta más empatía tenga, menos ira o irritación sentirá. La empatía y la ira son inversamente proporcionales.

Reaccionar frente a Responder

Vivimos en una sociedad en que la gratificación inmediata es parte de nuestras vidas diarias. Cuando surgen situaciones difíciles, como correos electrónicos provocadores o mensajes de voz irritantes, la gente quiere responder inmediatamente porque el dolor es intolerable. Es un reto para muchos tomarse un tiempo para responder y considerar sus respuestas a tales acontecimientos. Cuando la gente responde de inmediato en vez de elegir respuestas saludables, se pueden meter en un buen lío.

Más tarde, pueden preguntarse cómo la situación se intensificó tan deprisa. Se pueden hacer preguntas como, "¿Qué paso?" o "¿Cómo es que terminó por marcharse?" Por desgracia, no tendrán mucho éxito encontrando una respuesta satisfactoria. La única manera es entender las diferencias entre reaccionar y responder.

Reaccionar

Cuando reaccionamos, emprendemos acciones mientras nos sentimos emocionalmente cargados. No es buen momento para contestar un correo electrónico provocador o un mensaje de voz irritante cuando estamos en este estado emocional. Digamos, por ejemplo, que ha recibido un correo electrónico perturbador. Puede que su reacción inicial sea contestar de manera agresiva. Una alternativa es abstenerse de contestar al correo electrónico durante el día siguiente. Una opción es escribir un borrador de un correo electrónico sin enviarlo y después releerlo al día siguiente. Seguramente, notará que el borrador tiene un tono que suena duro, defensivo y/o agresivo. Ahora, considere escribir un nuevo correo electrónico cuando no se sienta tan cargado emocionalmente, y seguramente verá la diferencia entre el borrador inicial y el final. Esta diferencia podría potencialmente salvar una amistad.

Responder

Responder, por oposición a reaccionar, requiere que usted se calme y procese el asunto antes de emprender una acción. Al hacerlo, puede explorar y entender lo que le molesta realmente de la situación, y aclarar los deseos y necesidades que le pueda parecer necesario compartir con la otra persona. Durante este proceso de espera, una opción es escribir en su diario sobre sus pensamientos destructivos y sus sentimientos dolorosos. Otra opción es llamar a una persona de confianza con quien compartir sus sentimientos y provocar una lluvia de ideas sobre cómo manejar la situación de manera productiva. Estas prácticas mejorarán la probabilidad de salvar relaciones y amistades importantes.

Cómo Elegir de Manera Diferente

Ejemplo 1:   Mi supervisor me critica en el trabajo y yo:

a.   Me siento airado y resentido. Entro en un estado de retraimiento y mi trabajo sufre por ello. (reaccionar)

b.   Reconozco que mi trabajo no ha de ser perfecto, y me doy cuenta de que posiblemente mi supervisor solo estaba tratando de ayudarme. Continúo con mi trabajo. (responder)

Ejemplo 2: Recibo un correo electrónico perturbador, y yo:

a.   Escribo una página entera de vuelta, defendiéndome y aireando mis frustraciones, potencialmente perdiendo la amistad. (reaccionar)

b. Escribo para procesar mi ira, miedo, y preocupación, y trabajó para entender mis sentimientos, así como el punto de vista de la otra persona. Después escribo un correo electrónico expresando mis pensamientos y sentimientos con respeto, y negocié pidiendo lo que necesita y quiere. (responder)

Ejemplos de Situaciones para Prácticas

1. Situación: Mi supervisor criticó mi trabajo.

   Reaccionar:_____

   Responder: _____

2. **Situación:** Un trabajador del turno anterior me dejó trabajo que debería haberse completado durante su turno.

   Reaccionar: _____

   Responder: _____

3. **Situación:** Mi madre me mantiene al teléfono mucho más tiempo del que yo quiero.

   Reaccionar: _____

   Responder: _____

Sus Situaciones

Liste cualquier situación reciente a la que reaccionó:

1- Situación: _____
   a. ¿Cómo reaccionó?

      _____
      _____
   b. ¿Cómo podía haber respondido?

      _____
      _____

2- Situación: _____
   a. ¿Cómo reaccionó?

      _____
      _____
   b. ¿Cómo podía haber respondido?

      _____
      _____

La Ilusión del Control

Intentar controlar a otra gente, así como nuestras propias reacciones emocionales hacia ellos, puede resultar muy difícil. A menudo fracasamos en el intento. A pesar de que sabemos esto de una manera intelectual, empleamos mucha energía tratando de controlar lo que no puede controlarse.

Tratar de Controlar a los Demás

Cuando usted trata de controlar a otra persona, asume que *deberían* comportarse, actuar, pensar, sentir y creer lo mismo que usted. El problema es que a los demás no les gusta sentirse controlados, como tampoco le gusta a usted. Cuando trata de controlar, envía el mensaje a la otra persona de que no le acepta como es y que no confía en su juicio. Aunque puede ser capaz de influir en alguien para que piense de manera diferente durante un tiempo, a la larga no puede controlarles o cambiarles. Habitualmente es un propósito sin sentido.

Durante el proceso de intentar controlar a otra persona, usted acaba sintiéndose más frustrado y confundido porque tiene la sensación de estar básicamente esforzándose para nada. Está haciendo algo que no va a dar resultados satisfactorios. Una meta mucho mejor sería tratar de ser más comprensivo y tolerante con los demás.

Enunciados Controladores

La siguiente lista incluye muestras de situaciones en que se trata de controlar a los demás. Coloque una marca junto a las que le describan a usted:

1. Elevo mi tono de voz y utilizo la ira para ser escuchado.
2. Cuando los demás emiten opiniones que no están de acuerdo con las mías, Yo descarto lo que dicen y les digo que están equivocados.
3. Cuando alguien comparte su opinión, puede aparentar que estoy escuchando, pero en realidad estoy ensayando mi respuesta para convencerles de que lo vean a mi manera.
4. A menudo ofrezco consejo y soluciones incluso cuando no me han pedido mi opinión.
5. En ocasiones sermoneo a la gente cuando no ven las cosas a mi manera.
6. Impongo mis criterios a los demás incluso cuando no están interesados en oír hablar de ellos.
7. A menudo empleo enunciados absolutos como "Deberías," "Tendrías que," o "Tú nunca."
8. Cuando trato de tener una discusión con alguien, acabo interrumpiéndoles y diciéndoles qué pensar con lo que no tienen oportunidad de transmitir su punto de vista.
9. Cuando estoy disgustado con alguien, pospongo y no me esfuerzo mucho por la situación, como si quisiera vengarme de ellos.
10. Cuando quiero salirme con la mía, recurro a las afirmaciones inflexibles y el incumplimiento.
11. Utilizo "el silencio por respuesta" como un medio para controlar la situación.
12. A veces muestro mi acuerdo con los demás solo para tranquilizarlos.

Intentando Controlar Sus Propias Reacciones Emocionales

Evitar las emociones dolorosas huyendo de ellas no funciona. Cuando salen a la luz sentimientos desagradables y usted los silencia o se distrae para alejarse, ¿sabe qué consigue? ¡*Más* sentimientos desagradables! Cuando la gente aspira a desterrar su dolor emocional, solo acaban multiplicando su sufrimiento.

A medida que repasa la siguiente lista, mire qué afirmaciones se aplican a usted:

1. En cuanto siento una emoción no deseada, hago lo que puedo para deshacerme de ella.
2. No comparto mis problemas con los demás.
3. No expreso mis deseos y necesidades a los demás.
4. Evito enfrentamientos y temas polémicos.
5. Prefiero deshacerme de los pensamientos desagradables en vez de explorarlos y entenderlos.
6. Cuando hay problemas me retraigo en vez de trabajar para solucionarlos.
7. A menudo dudo de mí mismo y de mis decisiones.
8. Yo pretendo que todo está bien y oculto cualquier sensación de resentimiento.
9. No expreso mis sentimientos ya que no creo que hablar con la gente de mi dolor emocional me vaya a ayudar.
10. Empleo mucha energía tratando de aparentar que tengo todo resuelto.
11. A menudo silencio mis sentimientos o utilizo distracciones como las drogas o las fiestas para sentirme mejor.
12. Hago las necesidades de los demás mi prioridad, y descuido mis propias necesidades.

Resumiendo, lo que mejor funciona es aceptar y lidiar con las emociones a medida que surgen con la finalidad de procesarlas. La práctica de técnicas de atención consciente, escribir un diario para explorar sus pensamientos, y hablar con gente en la que confíe sobre lo que le preocupa son algunos ejemplos de maneras saludables de manejar su dolor emocional.

¿Qué Está Dentro de su Área de Influencia?

Piense en una situación habitual o presente que le resulte estresante.

Categoría C: área más allá de su control

Invertir su energía en "C" puede llevar a sentimientos de frustración, impotencia y resentimiento.

> *Ejemplos de la categoría C incluyen: el clima, el tráfico, límites de sueldos, envejecimiento y leyes.*

Categoría B: área de influencia

Invertir su energía en "B" lleva a la claridad y al conocimiento.

> *Ejemplos de la categoría B incluyen: sus relaciones, salud, y avance profesional.*

Categoría A: área bajo control

Invertir su energía en "A" lleva a una sensación de eficacia, autoestima, diferenciación , e inteligencia emocional.

> *Ejemplos de la categoría A incluyen: toma de decisiones, creencias (creencias religiosas, posturas políticas), cómo vestimos, dónde vivimos, con quién nos casamos, en qué trabajamos, y cómo gastamos dinero.*

Ejercicio: Haga una lista de sus factores estresantes en la siguiente tabla. Un factor estresante es cualquier cambio que cause estrés, incluyendo algo positivo como planear una boda.

1.	9.
2.	10.
3.	11.
4.	12.
5.	13.
6.	14.
7.	15.
8.	16.

Siguiente paso: A continuación coloque el factor estresante dentro de las categorías apropiadas.

Categoría C: área más allá de su control

Categoría B: área de influencia

Categoría A: área bajo control

¿Dónde invierte la mayor parte de su energía? ¿Piensa a menudo en cambiar las cosas que están más allá de su control? Su meta: Invierta su energía en las áreas bajo su control e influencia en vez de en el área más allá de su control.

Criticar y Descalificar

Puede que ser crítico con los demás (en el sentido de menospreciar a los demás de manera prepotente o condescendiente) sea algo natural, pero no siempre resulta útil.

Ser crítico con los demás tiene sus ventajas y sus desventajas.

Ventajas de ser crítico con los demás – Ayuda a determinar los tipos de personas a los que permitimos acceso en nuestras vidas y la cantidad de confianza que depositamos en ellas. Ser crítico puede ser una señal de que no nos sentimos cómodos con un tipo de persona en particular. Si hay peligro, esto puede ser útil.
El mundo está lleno de jueces. Nos juzgan por nuestro índice de solvencia, nuestro historial laboral, nuestra educación y nuestro estado civil.

Desventajas de ser crítico con los demás – No solo aumenta los pensamientos negativos entre personas; cuando los demás perciben una actitud crítica, pueden sentirse intimidados y abstenerse de revelar información por miedo a ser juzgados. Además, demuestra que su nivel de inteligencia emocional es muy bajo. Por ejemplo, cuando usted llama "estúpido" a alguien, rebaja su propio valor y posición social (note como las personas que confían en sí mismas no recurren al menosprecio de los demás). En la mayoría de escenarios, ser crítico con los demás puede resultar muy dañino, ya que limita las oportunidades positivas para nosotros mismos.

¿Dónde comienza?
¿Cómo se empieza a ser demasiado crítico con los demás? Tendemos a escuchar muchos comentarios críticos durante la infancia y la adolescencia. En la escuela secundaria, los abusones inyectan temor en los otros niños menospreciando a los más vulnerables verbal y físicamente. Durante la edad adulta, los que continúan con esos comportamientos pueden padecer una fijación. Son creencias que se crean temprano y que acarreamos con nosotros durante nuestras vidas al colocarnos en situaciones que refuerzan esas mismas creencias tóxicas.
Es importante notar los sentimientos que surgen cuando hacemos una crítica despectiva de alguien. Puede que percibamos que otra persona actúa de una manera particular que no se corresponde con nuestros valores, y como respuesta, nos sentimos irritados debido a esa disonancia. Tome como ejemplo esta situación: Mary y Mike acuerdan encontrarse a las 7 de la tarde, pero Mary llega con media hora de retraso. Mike no tarda en juzgar a Mary de desconsiderada e irrespetuosa. ¿Cómo crees que se siente Mike cuando percibe a Mary como irrespetuosa? ¿Qué otras maneras podía emplear Mike para enfocar la situación que serían más productivas y menos "orientadas al lado negativo"?

Tomarse el tiempo una vez al día para construir un puente con una sola persona puede hacer una gran diferencia.

El siguiente ejercicio le ayudará a <u>describir</u> lo que considera repugnante sobre alguien, por oposición a categorizarlo. Recuerde, cuando etiquetamos a la gente, eso nos permite despersonalizarlos. Deje que el enfoque esté en usted sin tener que competir por el poder. El intento de mantenerse en el poder refleja el miedo a no tenerlo en absoluto.

Ejercicio: Revise las siguientes palabras con calma, e identifique sus sentimientos a medida que revisa cada palabra. Escriba sus sentimientos junto a cada palabra. Ejemplo: "Psicópata" - Ira

    1. Estúpido - _____

    2. Cazafortunas- _____

    3. Cerdo - _____

    4. Gordo - _____

    5. Loco - _____

    6. Promiscuo - _____

    7. Perezoso -_____

Reemplace las siguientes palabras utilizando sentimientos de empatía, con palabras que no sean ofensivas. Ejemplo: "Psicópata" – Estoy irritado porque me llamó tres veces en un día.

    1. Estúpido - _____

    2. Cazafortunas - _____

    3. Cerdo - _____

    4. Gordo - _____

    5. Loco - _____

    6. Promiscuo - _____

    7. Perezoso -_____

Lo que Subyace a el etiquetado / Categorización / Generalización

En el siguiente ejercicio, intente determinar la razón subyacente por la que una persona etiquetaría o insultaría a otra. Por ejemplo: "Psicópata"- Al llamar psicópata a esa persona, ya no tengo que lidiar con las emociones que surgen dentro de mí. Es su problema, no el mío.

1. Estúpido- _____
_____

2. Cazafortunas - _____
_____

3. Cerdo - _____
_____

4. Gordo - _____
_____

5. Loco - _____
_____

6. Promiscuo - _____
_____

7. Perezoso- _____
_____

Note la diferencia entre etiquetar a alguien y observar y explicar apropiadamente lo que ve. Esto le ayudará a frustrarse menos y sentirse más calmado en el futuro.

Durante los próximos días, trate de observar cuándo y con qué frecuencia está teniendo pensamientos críticos sobre los demás.

*Recuérdese a sí mismo observar y, cuando esté preparado, tratar de tener empatía y comprensión hacia la otra persona poniéndose en sus zapatos.

*Recuerde mostrar también empatía y comprensión por usted mismo; está haciendo lo mejor que sabe hacer, dadas las herramientas con que cuenta en este momento.

*Trate de imaginar circunstancias más positivas que pueden haber llevado a la persona a actuar de esa manera.

*El siguiente paso es aceptar a la persona sin intentar cambiarlos. El mundo es como es, y usted debe aprender a adaptarse a él. Sin la voluntad para adaptarse, es probable que su futuro sea muy frustrante.

La Interpretación Errónea de la "Falta de Respeto"

En programas para el control de la ira, se escucha hablar a menudo de los conceptos de "respeto" y "falta de/al respeto". Por lo general, los clientes utilizan la expresión "falta de respeto" para referirse a la conducta de los demás. Exploremos qué significa exactamente que le falten al respeto a alguien.

Para empezar, es importante que definamos el término "respeto." Según el diccionario Merriam-Webster, "respeto" significa una consideración elevada o especial. Según www.Dictionary.com, "respeto" se define como sigue: deferencia a un derecho o privilegio; apropiada conformidad o cortesía; y reconocimiento. Por tanto, cuando una persona afirma que le están faltando al respeto, probablemente se estén sintiendo acusados o ignorados.

Aunque el diccionario tenga una definición específica de "respeto," la palabra puede significar algo diferente de una persona a otra. Como la gente tiene distintas creencias y experiencias vitales, sus versiones de lo que es "respetuoso" pueden variar. Como resultado, cuando la persona A tiene ciertas creencias sobre cómo debería comportarse la persona B en ciertas situaciones, y la persona B actúa de manera diferente a lo que la persona A espera, la persona A pensará que la persona B le está faltando al respeto.

Echemos un vistazo a la situación de Tony, una situación en la que siente que le faltan al respeto.

Situación: Mi novia no pasa nada de tiempo conmigo cuando vamos juntos a eventos sociales. Se pasa la mayor parte del tiempo hablando con sus amigos, y no conmigo.

Creencia: La pareja debería estar junto a su compañero durante eventos sociales; de lo contrario, no es una buena relación. Mis amigos cuestionarán la lealtad de mi novia hacia mí y pareceré un tonto.

Explorar y entender lo que subyace a mi creencia y al sentimiento de que me faltan al respeto:
La finalidad de esta creencia es ayudarme a sentirme emocionalmente seguro con mi pareja. Me siento irrespetado cuando mi novia se va de mi lado durante un rato. Empiezo a pensar, "Ella prefiere estar con sus amigos antes que conmigo," y empiezo a sentirme ignorado y dolido. La sensación de incomodidad por sentirme dolido se hace abrumadora y mi mecanismo de defensa se pone al mando. En vez de conectar con mi dolor emocional y responsabilizarme de él, acuso a mi pareja de "faltarme al respeto."

¿Se da cuenta de cómo Tony atribuye a su novia la responsabilidad por su dolor? Él hace responsable a su novia de su dolor emocional, y espera que ella cambie de comportamiento (que él etiqueto de irrespeto) en vez de cambiar su propia creencia y pensamientos sobre la situación (reclamando su emoción y su creencia). Al afirmar, "Ella me falta al respeto," Tony está viéndose como la víctima. Está dando a su pareja el poder sobre sus sentimientos.

Asumir la Responsabilidad por nuestro Propio Dolor

Lo cierto es que, cuando situamos la responsabilidad por nuestro propio dolor emocional en otros, estamos esperando que *ellos* cambien. Al hacerlo, estamos entregando nuestro poder. ¿Por qué haríamos algo así? *Es más fácil exigir o pedir a los que nos rodean que cambien, en vez de hacer nosotros el trabajo.* Al cambiar nuestros pensamientos y percepciones, tenemos el poder de cambiar nuestras emociones.

Practique

En este momento, usted puede estar pensando, "Bien, y ¿cuándo se supone que *no* me ha de parecer bien lo que haga mi pareja?" Esa es una gran pregunta que se hace con frecuencia. Necesita contar con su propio conjunto de límites que le resulte cómodo. Al mismo tiempo, para ayudarle a calibrar sus percepciones del comportamiento de los demás, puede preguntarse a sí mismo, "¿Me está ayudando esta creencia o me está haciendo daño?" O, si tiene amigos que parecen tener relaciones saludables, pregúnteles a ellos cómo perciben la misma situación.

La buena noticia es que las creencias que resultan en sentirse irrespetado son aprendidas, lo que quiere decir que *también pueden ser desaprendidas*. Cuando reemplace la creencia tóxica con una más saludable, rara vez se sentirá irrespetado, porque cambiará su interpretación errónea de la situación. Su perspectiva mejorada de los pensamientos y sentimientos de irrespeto subyacentes le ayudará a desarrollar relaciones más saludables.

Ahora, revise el siguiente conjunto de preguntas de muestra para entender mejor lo que subyace al sentimiento de sentirse irrespetado.

1. **Describa una situación en la que se sintió irrespetado:** *Estaba en una fiesta y mi novia me estaba faltando al respeto al pasar la mayor parte del tiempo con sus amigos en vez de conmigo.*

2. **¿En qué creencia se sustenta su sensación de irrespeto en la situación?** *Los miembros de una pareja siempre deberían estar juntos en eventos sociales; de lo contrario, no es una buena relación. Los amigos cuestionarán la lealtad de mi novia hacia mí, y pareceré un tonto.*

3. **¿Cuáles son algunos de sus pensamientos sobre la situación?**
   a. *Ella sabe que me irrita cuando no está a mi lado en los eventos, y aún así lo hace.*
   b. *Prefiere estar con sus amigos en vez de conmigo.*
   c. *Merezco estar con alguien que me aprecie y me respete.*

4. **¿A quién hace responsable de sus sentimientos?** *A ella.*

5. **¿Cuál es el sentimiento subyacente? Pista: no mencione sentimientos en la familia de la ira.** *Me siento inseguro y que los demás ven que es ella la que lleva los pantalones en mi relación. También me siento irrespetado y que ella no me quiere.*

6. **¿Cómo percibirían sus amigos y familiares (los que son saludables) la situación?** *Son más capaces de manejar esto que yo. Por lo general no les escucho quejarse de situaciones que*

a mí me duelen, pero también puede ser que ellos no lo verbalicen tanto como yo. Puede que piensen que está bien que su pareja se socialice con otros en un evento en común. La finalidad de las reuniones es interactuar con los amigos y la familia.

7. **Si diera el beneficio de la duda y fuera más confiado, ¿de qué otras maneras podría percibir esta situación?** *Ella dice que me quiere y que le importo. Ella ha estado conmigo durantemuchos años. Rara vez ve a sus amigos, y pasa tiempo conmigo cuando estamos en casa. Y tampoco es que me ignore por completo en los eventos.*

Describa una situación en la que se sintió irrespetado:

_____

_____

¿En qué creencia se sustenta su sensación de irrespeto en la situación?

_____

_____

¿Cuáles son algunos de sus pensamientos sobre la situación?

_____

_____

¿A quién hace responsable de sus sentimientos?

_____¿Cuál es el sentimiento subyacente? Pista: no mencione sentimientos en la familia de la ira.

_____

¿Cómo percibirían sus amigos y familiares (los que son saludables) la situación?

_____

_____

Si diera el beneficio de la duda y fuera más confiado, ¿de qué otras maneras podría percibir esta situación? _____

_____

La próxima vez que se sienta irrespetado, pruebe este formato de hoja de ejercicio y cuestione sus pensamientos y creencias subyacentes. Con el tiempo, notará un cambio en su propia percepción de las "faltas de respeto."

¡Los Celos!

La mayoría de la gente no está cómoda admitiendo que siente celos. Quizá sea porque tienen miedo de que los demás les tachen de inseguros o como alguien que no se siente suficientemente bueno o atractivo. Con frecuencia, los celos son un intento de controlar a alguien.

Wikipedia define los **CELOS** como una emoción secundaria que habitualmente provoca pensamientos y sentimientos negativos de inseguridad, miedo, y ansiedad sobre la pérdida anticipada de algo (una relación) o alguien (la persona con la que se tiene una relación). Los celos consisten en un abanico de emociones, la ira, la tristeza, el resentimiento, y la aversión, todos ellos distintos de la *envidia* es decir, querer lo que otro *tiene* más que temer la pérdida de algo que usted tiene.

Como ocurre con la mayoría de las emociones, los celos existen por una razón. Tienen una finalidad. Pueden ayudar a una persona a aprender una lección de humildad. Pueden servir de motivación para emprender una acción. O pueden ser una indicación intuitiva de que algo anda mal en una relación y que la persona necesita dar ciertos pasos para protegerse emocionalmente. Por ejemplo, si usted sospecha que su pareja le está engañando, este sentimiento puede motivarle para hacer algunas preguntas vitales y comenzar una conversación delicada con la finalidad de enterarse de la verdad.

¿Cómo se expresa cuando se siente celoso? ¿Cómo actúa?

Cuando se manejan mal los celos, se pueden crear problemas en una relación. En muchas ocasiones la persona celosa se hace cada vez más controladora. Por ejemplo, una persona celosa puede pedir a su pareja que cancele los planes que ha hecho. Pero solo porque una persona sienta celos, eso no significa que la otra persona tenga que hacer cambios en su comportamiento. De hecho es mejor que la pareja continúe haciendo lo que estaba planeando, y dé espacio a la persona celosa para procesar sus propios sentimientos de ira y de celos. Cuando una persona expresa incomodidad con sus acciones, asegúrese de seguir las siguientes sugerencias:

1- No discuta e intente convencerles de que su manera de pensar es equivocada. Escúcheles. Repítales de vuelta lo que cree que le están diciendo.
2- Intente reconocer que esta discusión debe resultarles difícil. Refleje de vuelta su comprensión de cómo su plan puede impactarles.
3- Asegúrese de que les entiende correctamente. Repítales de vuelta la petición que ellos le hayan hecho, y la razón para la misma.
4- No haga promesas de cambio a menos que piense que lo que están pidiendo es razonable.

5- Sea compasivo y muestre que entiende que su plan puede resultarle amenazador a la otra persona. Empatice con ellos.

6- La persona que siente celos a menudo cree que está perdiendo el control. Intente ser comprensivo con sus sentimientos.

Mucha gente confunde los celos con la envidia. ¿Cuál es la diferencia entre estos dos conceptos?

Celos	Envidia
Miedo a la pérdida	Sentimientos de inferioridad
Sospecha/ira por una percepción de traición	Anhelos
Baja autoestima y tristeza por la percepción de pérdida	Resentimiento acerca de circunstancias o carencias
Incertidumbre y soledad	Mala voluntad hacia la persona envidiada (cuando se acompaña por la culpabilidad)
Desconfianza	Motivación para mejorar
Deseo de aferrarse a la persona deseada	Deseo de poseer las cualidades atractivas del rival
Uso de los sentimientos de celos para manipular	Invalidación de sentimientos

¿Y si son celos no confirmados?

Los celos pueden destruir una relación, especialmente cuando se expresan de maneras que son agresivas. Por ejemplo, acusaciones. Examinemos algunos ejemplos:

Ejemplo 1: "Estabas flirteando con ella, te vi."
Ejemplo 2: "Gastas dinero en tonterías."
Ejemplo 3: Ella llega cinco minutos tarde, y empieza a tener pensamientos de sospecha. En un intento de aliviar su ansiedad, pregunta, "¿Dónde estabas?" en cuanto ella entra por la puerta.

Examinemos algunas estrategias para ayudarle a lidiar con los sentimientos de celos:

1- Admita que está sintiendo celos.
2- Exprese cómo se siente con una afirmación en primera persona ("Yo...")
3- Pida maneras más sencillas de calmar sus sentimientos de ansiedad. Por ejemplo, "Solo necesito saber que todavía me amas."
4- Escriba una entrada de diario para expresar sus sentimientos y pensamientos. Responda a las siguientes preguntas: (a) ¿De qué se trata esto en realidad para mí?; (b) ¿Realmente no confío en _____, o es esta mi manera de intentar controlarle? o (c) ¿Me recuerda esta situación a algún trauma pasado que causó mis inseguridades?
5- Contrarreste sus propios pensamientos con otros más razonables.

6- Hable con un amigo de confianza que parezca tener relaciones saludables. Pregunte por lo que piensa.

7- Repase algunas afirmaciones para decirse a sí mismo – que le inspiren o sean positivas sobre usted. (Impulsores de autoestima).

Llamada a la acción: La próxima vez que quiera cuestionar las intenciones de alguien, o acusarles, deténgase y pregúntese a sí mismo lo que está intentando conseguir y si acusarles es la mejor manera. Repase las estrategias anteriores para ayudarse en su cometido.

El Desarrollo de Relaciones Más Saludables

¿Qué significa tener una relación saludable? Hay quienes piensan que una buena relación debería darse fácilmente, pero no suele ser el caso. Las discusiones suceden, pero las discusiones pueden ser de hecho productivas y pueden profundizar una relación y fomentar la confianza entre los miembros de la pareja si se manejan de la manera correcta. En el calor del momento, sin embargo, se pueden decir muchas cosas hirientes, creando una espiral descendente que puede resultar más destructiva que útil. Culpar, criticar y despreciar al otro dañan la relación. Por otra parte, expresar dolor y afirmar sus deseos promueven una relación *más saludable*, una donde hay apoyo y comprensión.

Para aprender a promover interacciones más constructivas, examinaremos las creencias que provocan discusiones innecesarias, y aprender a identificar lo que está en el centro de la mayoría de las discusiones.

1- Creencias saludables frente a creencias tóxicas sobre relaciones y otras áreas de importancia
2- Cuál es el centro de una discusión

¿Qué son las creencias?
En Psicología Cognitiva Conductual, las creencias son lo que usted ha aprendido sobre sí mismo, los demás, y el mundo de su entorno, como su familia, amigos, escuela, trabajo o medios de comunicación. Aprendemos mediante nuestras experiencias, así como a través de información que la gente ha compartido con nosotros.

Por ejemplo, la madre de Tara le ha dicho con frecuencia a su hija, "Todos los hombres son infieles." Como resultado de esta enseñanza, Tara interroga a cada hombre con el que sale por sus sospechas sobre una posible infidelidad, incluso aunque no haya fundamento para sus creencias. Con este punto de vista, podemos ver cómo la mayoría de sus relaciones están condenadas al fracaso desde el comienzo. Sus creencias continuarán destruyendo sus relaciones a menos que las *cambie*.

¿Qué creencias tiene usted sobre los demás que parecen estar impactando sus relaciones negativamente? Haga un círculo alrededor de las creencias *tóxicas* que resuenan más con usted, y repase la Visión Más Saludable (VMS) para cada creencia negativa.

1- Sus necesidades tienen preferencia ante las mías. ("Cuidador")
   VMS: Es importante prestar atención a mis necesidades para que pueda estar presente para los demás.

2- Es su deber hacer _____, _____ y _____.

VMS: Aunque los demás se comprometan a ciertos roles y tareas, ese compromiso puede cambiar con el tiempo. Necesito ser más flexible y comprensivo sobre esos cambios.

3- No se puede confiar en la gente. Todo el mundo tiene malas intenciones.
VMS: La confianza se desarrolla con el tiempo. La gente cometerá errores, y puedo confiar en que puedo trabajar a través de problemas con ellos.

4- Ella/él me va a dejar. (Creencia infundada).
VMS: Ella/él nunca ha dicho que me va a dejar. Ella/él ha estado conmigo por bastante tiempo. "Que la gente me deje" es mi propio miedo que desarrollé mientras crecía.

5- Es mejor mantener la relación por el bien de los hijos. Puedo lidiar con el abuso.
VMS: Seguir en una relación abusiva solo pondrá en peligro a mis hijos. Necesito protegerme a mí y a mis hijos, y crear un entorno seguro para todos nosotros.

6- Los demás tienen que empezar el proceso de resolución del conflicto y disculparse cuando es su culpa.
VMS: Es mi responsabilidad tanto como la de los demás empezar el proceso de resolución. De otro modo, puede que nunca resolvamos la discusión, lo que causará el aumento del resentimiento.

7- Si discutimos, debe significar que no tenemos una buena relación.
VMS: Todas las relaciones tienen conflictos; el éxito depende de cómo se manejen los desacuerdos. Esto implica respeto, una gran comunicación y buenas técnicas de escucha.

8- Si se da un conflicto, se puede ir de las manos. Es mejor no decir nada.
VMS: Si me guardo las cosas para mí, albergaré resentimiento. Es mejor para la relación si empleamos técnicas eficaces de comunicación y hablamos de cualquier cosa que nos esté molestando.

9- Mi pareja no debería mirar a otras personas-- jamás.
VMS: Es simplemente natural que los hombres miren a otras mujeres, y viceversa. Entiendo que me pueda sentir algo insegura respecto a ello, pero es mi propio problema, no el suyo, que cambiar.

10- Las buenas relaciones deberían darse de modo natural.
VMS: Todas las relaciones necesitan trabajo. Los desacuerdos son normales. La gente tiene diferencias, y se puede sobrevivir a ellas. En ocasiones, puede que mi relación necesite más trabajo que en otras.

¿Qué hay en el centro de la mayoría de las discusiones?

Intentar descubrir de qué se trata realmente una discusión es difícil, así que tiene que tomarse su tiempo e identificar lo que está sucediendo realmente. Por ejemplo, está discutiendo porque los platos no se lavan de manera oportuna o está enfadado porque necesita saber que lo que usted dice importa. Cada persona tiene ciertas necesidades. Algunas de las necesidades básicas generales dentro de una relación incluyen:

1- Quiero saber que todavía me amas. (necesidad de ser amado)
2- Quiero saber que todavía me deseas. (necesidad de sentirse admirado y deseado)
3- Quiero saber que lo que tengo que decir es importante. (necesidad de ser importante)
4- Quiero saber que me vas a escuchar. (necesidad de ser escuchado).
5- Quiero saber que no me vas a dejar. (necesidad de seguridad)
6- Quiero saber que no me vas a hacer daño. (necesidad de sentirse a salvo)

Piense en la última vez que participó en una discusión, e intente identificar cuál de las necesidades mencionadas anteriormente parecía estar en riesgo. Por ejemplo, su pareja se unió a un club social y usted se empezó a preocupar de que ella/él estuvieran alejados de usted por largos periodos de tiempo. Puede sentir su necesidad de seguridad en riesgo ya que teme que ella/él le dejen. En vez de discutir sobre el club social, es mejor abordar sus miedos reales y decir, "me preocupa que vayas a olvidarte de mí, y a enfocarte en el club. Solo quiero saber que todavía querrás estar conmigo."

LLAMADA A LA ACCIÓN: (1) Haga una lista de sus propias creencias tóxicas, y sugiera una visión más saludable (VMS) para cada una de ellas.

(2) La próxima vez que discuta, identifique lo que está en el centro de la discusión y exprese su miedo y su necesidad.

Entendamos la Co-dependencia

La codependencia implica a dos personas disfuncionales que empeoran juntas enredándose en una relación. La persona codependiente cuenta con la otra para que le ayude a reducir su propio dolor emocional ya que tiene dificultades para regular por sí mismo sus propias emociones. Cuando se da cuenta de que la otra persona no puede hacer lo necesario, piensa, "No tengo a nadie que realmente se preocupe por mí," y se siente decepcionado. Cada vez que nos adaptamos a la disfunción de otro, estamos actuando de manera disfuncional: "Solo me necesitas cuando estás enfermo."

Aunque la gente codependiente puede ser generosa, considerada y servicial, también están batiéndose con una necesidad de controlar y manipular a los que les rodean. Puede que hayan crecido dependiendo de alguien que no era fiable, alguien que, a su vez, podía depender de otra cosa, como las drogas o el alcohol. Como resultado, el *entonces* niño aprendió a asumir los papeles tanto de cuidador como/o de facilitador, y todavía lo están haciendo en sus relaciones adultas.

La codependencia es la ausencia de una buena relación con el *propio ser*. Los codependientes permiten que otra gente les defina. La persona codependiente espera a ver qué piensan y sienten los demás para decidir cómo responder. Ignoran sus propias necesidades y emociones ya que están desconectados de sí mismos. Esto desemboca en resentimiento. Su concepto del propio ser no es seguro y reaccionan exageradamente a las situaciones. Como consecuencia, se sienten decepcionados cuando se dan cuenta de que no pueden controlar el estado de ánimo de la otra persona. Puede que vivan con la creencia falsa de que los malos sentimientos que experimentan se disiparán si pueden ganar la aprobación de cierta gente importante en sus vidas. Creen que la aprobación es lo que se necesita para ser feliz.

Repasemos algunas creencias tóxicas relativas a la Codependencia.

Creencias Tóxicas de la Codependencia
1. No me deshago de relaciones destructivas porque creo que no puedo manejar el dolor.
2. Asumo tus opiniones y valores, y pongo los míos a un lado.
3. Tu felicidad es más importante que la mía. Si estás feliz, entonces yo soy feliz.
4. Solo me siento bien cuando sé que los que me rodean me aprecian y aprueban.
5. Hago suposiciones en vez de verificar si algo es verdad o no.
6. Dejo a un lado mis intereses, aficiones y amigos para acercarme más a ti.
7. Mi temor a la confrontación dicta mi decisión de hablar.
8. Si digo que "No" puede que no te guste y que me rechaces.
9. Si estoy ahí para ti, y te hago favores, entonces me reciprocarás.
10. El trabajo de mi pareja es cuidar de mí, y mi trabajo es cuidar de ellos.
11. Abandono mis deseos y necesidades porque me concentro en cuidar de los demás.
12. Si te pido que cambies, y me amas, cambiarás de comportamiento.

13. Somos un reflejo el uno del otro, y por tanto necesitamos acomodar las peticiones del otro, incluyendo las relacionadas con nuestra apariencia.
14. Te dejo definir lo que significa mi comportamiento.
15. Te hago responsable de mis emociones: "Me hiciste enojar."
16. Me esfuerzo por protegerte y agradarte para que tú también hagas las cosas a mi manera.

MENSAJES APRENDIDOS

La gente forma sus creencias sobre lo que es apropiado o no a través de sus interacciones diarias. Los mensajes se aprenden de varias maneras, incluyendo lo que se presencia en diversas situaciones e interacciones. También formamos creencias debido a comentarios que escuchamos de amigos y familiares. A partir de estos mensajes, la gente aprende lo que debería o no estar haciendo. A continuación puede leer mensajes habituales dentro de las familias codependientes.

1. **Es egoísta cuidar de uno mismo.** Le enseñaron a pensar en los demás antes que en sí mismo, y que las necesidades de los demás eran más importantes que las suyas. *Como consecuencia, puede que esté resentido porque descuida sus propias necesidades mientras cuida de los demás.*
2. **No confronte ni sacuda el barco.** Aprendió que si algo le molesta, ha de lidiar con ello por su cuenta. No se arriesgue a sacar a la luz sus preocupaciones porque disturbará la dinámica familiar, y la gente no podrá lidiar con ello. *Como resultado, aprende que las discusiones son tóxicas y dan miedo, y guarda silencio.*
3. **El cambio da miedo.** Los miembros de familias codependientes hacen lo que pueden para evitar que el sistema experimente cambios. *El resultado es experimentar el miedo al cambio y la incomodidad con los cambios de los demás.*
4. **La comunicación no asertiva es la norma.** En familias codependientes, es habitual mostrar las emociones en vez de expresarlas. En vez de que su madre le diga que está disgustada con usted, le grita y le menosprecia. Como consecuencia, usted no tiene las herramientas apropiadas para expresarse con respeto y ser escuchado.

¿CÓMO PUEDE SABER SI ES CODEPENDIENTE?
1. Si está teniendo dificultades para satisfacer sus necesidades.
2. Si no expresa sus sentimientos y pensamientos por miedo a decepcionar o disgustar a un miembro de la familia.
3. Si está intentando cambiar la opinión que alguien tiene de usted porque tiene una gran necesidad de sentirse apreciado y aceptado.
4. Si hace a otros responsables por sus sentimientos y acciones.
5. Si se pasa mucho tiempo intentando agradar a los demás antes que a sí mismo.

SOY CODEPENDIENTE, ¿Y AHORA QUÉ HAGO?
1. El primer paso es identificar sus características codependientes.
2. Haga una lista y explore los mensajes que ha aprendido mientras crecía.

3. Acepte que no puede controlar y cambiar a los demás. Aprenda a aceptarles como son, y afronte las emociones no deseadas que sean provocadas por los demás.
4. Priorizar mis prioridades. Determine sus propios deseos y necesidades y comience a expresarlas.
5. Reintegración – acéptese a sí mismo, y aprenda a ser compasivo *consigo* mismo.

Maneras de Relacionarse: Autoprotector, Interdependiente, Codependiente

¿Alguna vez se ha dado cuenta de que tiene interacciones similares con distintas personas? Todos tenemos nuestra manera de relacionarnos. La sociedad occidental valora la interdependencia como modo de relacionarse. Aquí en los EEUU se nos alienta para que tengamos al menos parte del trabajo, los amigos y las aficiones separados de los de nuestras parejas y familias. Las culturas asiática y del Oriente Medio valoran la codependencia. Se da prioridad a las necesidades de la familia/pareja sobre las del individuo. ¿Dónde sitúa sus relaciones en el siguiente gráfico? (Las áreas sombreadas de los círculos representan la cantidad de tiempo que pasan juntos, pensando el uno en el otro, y su nivel general de influencia sobre la otra persona.)

AUTOPROTECTOR
(demasiados límites)

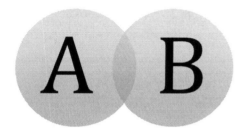

Ventajas	Desventajas
Capaces de cuidar de sí mismos y no parece que necesiten a los demás	Solitario
Se consideran independientes	Desconectado
No parecen preocupados por la infidelidad o el abandono	Crea distancia en la relación
Muestran menos temor / ansiedad / dolor / heridas	Emocionalmente reservado – desconfianza

CODEPENDIENTE
(demasiados pocos límites)

Apasionado y conectado	Irascible
Confiable situacionalmente	Desconsiderado
Sentirse querido y amado	Vergüenza/ Culpa
Mucho entusiasmo	Inseguridades / desconfianza de la pareja
	Generalmente drogas/ adicciones
	Obsesivo / apegado

INTERDEPENDIENTE
(límites saludables)

Saludable	Inarmónico en ciertas culturas
Relación respetuosa	Puede percibirse como aburrido por los que son codependientes
Confiado	No tan apasionado como el codependiente
Seguro de sí mismo	
Confiable y estable	
Resuelve bien los conflictos	

Autoprotector	Codependiente	Interdependiente
_____	_____	~~~~~~~~

Entendamos los Límites

A menudo escuchamos que alguien carece de *límites*, pero no siempre sabemos con certeza lo que eso significa, porque el término "límites" se puede utilizar de muchas maneras diferentes.

Primero miremos cómo definir *límites*; después entendamos los distintos tipos de límites, y finalmente, repasemos algunos ejemplos de límites en distintas situaciones.

Definición de Límites

De igual manera que los países tienen fronteras que los separan entre ellos, los seres humanos tienen maneras tanto físicas como psicológicas de separarse entre ellos. No solo somos una entidad dentro de nuestra propia piel, con distintos niveles de comodidad respecto al espacio personal; también desarrollamos maneras de comunicar al mundo lo que "somos" o "no somos" psicológicamente hablando. Nuestros límites establecen reglas sobre hasta dónde pueden los demás invadir nuestro "espacio", tanto físico como mental.

Los límites emocionales nos ayudan a sentirnos a salvo. Los límites emocionales saludables evitan que otros nos hagan daño o nos hagan sentir incómodos. Los buenos límites son resultado de saber lo que nos gusta y lo que no nos gusta, lo que buscamos y lo que evitamos, y lo que nos atrae o nos repulsa. Para establecer límites saludables, debemos desarrollar nuestra comprensión sobre nosotros mismos; debemos saber "quiénes somos" y "quiénes no somos". Cuanto mejor nos conozcamos, más fuertes serán nuestros límites.

Aprendido en la Infancia

Los limites(acento en la primera (i) se aprenden en la infancia de nuestros padres, cuidadores, familiares, amigos, profesores y figuras similares. Sin embargo, a veces las mismas personas encargadas de ayudarnos a aprender cómo protegernos a nosotros mismos mediante el desarrollo de límites saludables terminan violando nuestros límites y no desarrollamos un "concepto del ser." Esto colorea negativamente las interacciones futuras con la gente que nos rodea. Especialmente, impacta nuestras elecciones de pareja y cómo interactuamos con ellos. Quizá recuerde algún acontecimiento de la infancia en que se vio envuelto un familiar, amigo, ser querido o vecino en que él o ella hizo o dijo algo que fue hiriente, pero cuando habló con ellos (si fue tan valiente como para hacerlo) de cómo le había afectado su comportamiento, se mostraron perplejos o se pusieron defensivos. Una razón para este tipo de reacción es que puede que esa persona no haya aprendido límites saludables, y le estén tratando como les han tratado a ellos. Puede que otros hayan violado sus límites debido a su falta de juicio cuando estaban borrachos o drogados. También es importante ser consciente del impacto que tiene la cultura en el desarrollo de límites.

Relaciones y Co-Dependencia

Cuando se trata de límites, no estamos todos en la misma línea. Hay cosas distintas que le parecen bien o mal a diferentes personas.

Tipos de Límites

1- **Los Límites Físicos** crean suficiente espacio entre usted y los demás como para proporcionarle una sensación confortable. Puede ser el espacio físico entre usted y otra persona o un grupo de gente. Por ejemplo:
   a. La distancia que mantiene entre usted y otros vehículos cuando conduce
   b. La distancia que mantiene de otros en la fila del supermercado
   c. La distancia que mantiene cuando conoce a una persona nueva en una situación social

2- **Los Límites Emocionales** trazan distinciones entre las interacciones personales que nos sientan bien y son revitalizantes y las que nos parecen invasoras. Tenemos un escudo psicológico invisible alrededor de nosotros, y cuando alguien cruza esa línea con su deshonestidad, siendo demasiado curioso, compartiendo demasiado, o haciendo preguntas personales sobre sexo, política, religión o dinero, nuestros límites se sienten violados. Por ejemplo:
   a. Alguien que conoció hace poco le llama cada 10 o 15 minutos.
   b. Su pareja le es infiel.
   c. Su amigo le llama con frecuencia y se desahoga emocionalmente en usted.

3- **Los Límites Intelectuales** – Nuestro sentido de sí mismo incluye nuestras buenas ideas, el dominio de los temas aprendidos, logros académicos, nuestra habilidad para resolver problemas, y hasta nuestro ingenio. Cuando alguien ignora esas cosas como algo sin ningún valor, o no nos escucha o aprecia nuestras habilidades intelectuales, nos sentimos enfadados y menospreciados. Por ejemplo:
   a. Cuando alguien "piensa en su lugar"
   b. Cuando alguien toma decisiones por usted
   c. Cuando alguien asume el crédito por sus ideas o trabajo

4- **Los Límites Sexuales** – Nos enseñan (o eso esperamos) que nuestros cuerpos nos pertenecen a nosotros y a nadie más, y que la conversación sexual inapropiada, el contacto físico no deseado o los ataques sexuales directos son invasiones de nuestros límites. Las invasiones de los límites sexuales nos violan tanto fisicamente como psicológicamente, y nos pueden dejar sintiendo extremadamente vulnerables. Por ejemplo:
   a. Acoso sexual
   b. Ser manipulado para hacer algo sexual
   c. Violación

5- **Los Límites Financieros** – El dinero – un símbolo de poder – nos puede proteger de la adversidad, así como proteger a nuestros seres queridos. Por tanto, cuando se abusa de

93

nuestro dinero, se malgasta o roba, nuestro poder para protegernos a nosotros mismos y a los demás se ve amenazado. Por ejemplo:

a. Dinero que se toma de una cuenta compartida sin su conocimiento
b. Dinero que se ha prestado y no se ha devuelto
c. Promesas financieras rotas

Violaciones Potenciales de Límites

En el Trabajo
- Al hablar en un idioma diferente mientras sus colegas estan(acento en la (a) presentes
- Consumir alimentos de olor intenso en su escritorio (pescado, ajo, etc)
- Mantener conversaciones paralelas durante reuniones

En Casa
- Entrar en una habitación ajena sin llamar
- Rebuscar entre las posesiones de otro
- Cambiar el canal de la televisión sin preguntar a la familia si estan(acento en la (a) de acuerdo

Con Amigos
- No guardar la informacion(acento en la segunda (o) confidencial de sus amigos
- Hacer favores excesivos, o pedir demasiados favores
- Llegar tarde a una reunión programada

Con Conocidos
- Revelar demasiada información sobre sí mismo
- Llegar tarde a reuniones programadas
- No responder a correos electronicos (acento en la primiera (o)y llamadas

En Communidad
- Usar su celular en el cine
- No permitir que alguien se incorpore al tráfico
- Poner música alta después de medianoche (en el coche o en casa)

Con Usted
- Comer demasiado o demasiado poco
- Participar en conducta sexual arriesgada
- Tener dificultad para decir "No"

Límites Saludables

Creamos límites saludables para sentir que nuestras identidades están seguras dentro de nuestro entorno. Nos ayudan a establecer límites para que podamos formar relaciones de apoyo. Los límites saludables son flexibles para que podamos fomentar las relaciones revitalizantes y dejar de lado las que son perjudiciales. Los límites pueden ser relajados o más estructurados, dependiendo de la situación. Los límites saludables nos ayudan a procesar los conflictos. Los buenos límites nos ayudan a discernir si alguien se está aprovechando de nosotros o no.

Límites Problemáticos

Cuando establecemos demasiados límites, mantenemos a la gente a distancia y no desarrollamos relaciones saludables. Como consecuencia, las relaciones no duran tanto tiempo. Las personas con demasiados límites (amurallados) tienden a sentirse aislados y solos. Desconfían de la gente. Por otra parte, la gente que no tiene suficientes límites confía demasiado fácilmente, dan demasiado, tienen problemas para decir "No" a las peticiones, y siguen en relaciones más tiempo del que quieren, incluyendo aquellas que les hacen daño. Ambos extremos son tóxicos.

Resumen

Es importante establecer límites personales saludables. Sin ellos, usted es vulnerable a la gente que no tiene ni idea sobre sus deseos y necesidades. La manera de establecer límites saludables es desarrollar el conocimiento de lo que sienta bien y lo que sienta mal. Una vez conozca sus límites, puede comunicar (de manera asertiva) sus preferencias a los demás, lo que constituye una parte esencial de ser un adulto maduro, saludable y funcional.

¿Cómo son sus Límites?

	Marque el nivel apropiado de respuesta para cada pregunta.	0- Nunca	1- Rara vez	2- A veces	3- A menudo
1	¿Dar a los demás le hace terminar por sentirse agobiado?				
2	¿Le parece que los demás están tratando de dirigir su vida?				
3	¿Dice usted "sí" cuando en realidad quiere decir "no"?				
4	Si dice que sí a algo que no quiere hacer, ¿siente resentimiento?				
5	¿Dice usted que "sí" porque quiere evitar el enfrentamiento?				
6	¿Dice usted que "sí" porque le preocupa que la gente no le aprecie, le abandone, o le critique?				
7	¿Trata de hacer felices a los que le rodean?				
8	¿Se siente culpable cuando le dice "no" a alguien?				
9	¿Cree que sus propios sentimientos y necesidades no importan?				
10	¿Haría básicamente cualquier cosa para evitar herir a los demás?				
11	¿Le parece que nunca está al día con sus tareas diarias, como si su vida no fuera suya?				
12	¿Siente que sus seres cercanos se aprovechan de usted?				
13	¿Se ve a sí mismo como la única persona capaz de ayudar?				
14	¿Es difícil para usted decepcionar a los demás?				
15	SI alguien le critica, ¿cree automáticamente que sus críticas son ciertas??				
16	¿Permite que otros definan lo que significa su comportamiento?				
17	¿Da demasiado en una amistad o relación íntima?				
18	¿Confía con demasiada facilidad?				
19	¿Se implica demasiado en los problemas de otras personas?				
20	¿Le preocupa ser invasivo con los demás?				
21	¿Se implica demasiado rápido?				
22	¿Sigue en relaciones más tiempo del que le interesa?				
23	¿Le resulta difícil soltar una relación que es destructiva?				
24	¿Tiene dificultades para evitar desviarse de sus metas personales (comer más sano, no fumar, beber o usar drogas)?				
	Añada Todas las Columnas, coloque la suma a la derecha.				

Menos de 24: Posiblemente tiene límites buenos y saludables / **24-48:** Puede que sus límites sean algo débiles, haría bien en reforzarlos / **49-72:** Sus límites son bastante débiles. Es hora de aprender a establecer algunos límites.

Establezcamos Límites

Nos enfrentamos a todo tipo de peticiones a diario. A veces es fácil establecer limites; en otras ocasiones, no. Cuando damos demasiado, nos arriesgamos a acabar sintiéndonos agobiados o resentidos, y entonces ¿puede adivinarlo? Nos enfadamos con los que nos rodean y sentimos que se aprovechan de nosotros. En vez de ver el establecimiento de límites como *nuestra* responsabilidad, puede que consideremos que es responsabilidad de la otra persona hacer menos peticiones.

A menudo la gente enfadada da demasiado, y si simplemente aprendieran a trazar límites apropiados, y a prestar atención a sus propias necesidades, puede que no se enfadaran tanto.

Aunque pueda parecer que decir "No" debería ser fácil, para los que están acostumbrados a sentirse responsables de cuidar de los demás, decir que "No" es algo muy difícil. Examinemos algunas estrategias para establecer límites con los demás.

4 Pasos para Establecer Límites con los Demás

1. Admita haber escuchado la petición. Repita lo que le están pidiendo, y si es necesario, pida más clarificaciones.
2. Evalúe si la petición es algo que le gustaría realizar, o si preferiría privarse de hacerlo.
3. Informe a la persona si va a poder atender la petición o no. Si elige no hacerlo, es importante que no se disculpe por ello. Simplemente explique la razón. Sea honesto con su respuesta, no necesita inventarse excusas.
4. Diga "Sí" o "No". Decir "No" es una manera de trazar límites. Por ejemplo, "no es algo que desee hacer."

Por ejemplo: "Entiendo que te gustaría que te llevara al aeropuerto mañana. No podré hacerlo porque estoy en un plazo de tiempo par mis proyectos." A algunas personas les puede parecer grosero decir "No" y sus sentimientos de culpabilidad se hacen insoportables. Si esto le sucede a usted, asegúrese de procesar sus emociones durante este periodo en que está intentando cambiar. Hable con su facilitador para recibir consejo. Alguien que es muy generoso puede dejar de lado su trabajo para llevar a su amigo al aeropuerto. Pero en algún momento posterior, si le piden un favor a ese mismo amigo y el amigo les dice que no puede hacerlo, les puede llevar a la frustración y el resentimiento.

Tendrá que decidir cuánta insistencia pone en su respuesta en una situación determinada. Por ejemplo, si alguien ha estado bebiendo y planea llevarle a casa, está bien ser insistente y decir, "No está bien que manejes el coche. Tienes que darme las llaves."

A veces a la gente le resulta difícil ser completamente honesta a la hora de trazar límites porque creen que suenan duros o demasiado rígidos. Podría suavizar lo que dice mediante su tono de voz y elección de palabras. Utilizando el mismo ejemplo de arriba, podría decir, "Me encantaría estar al volante en el camino de regreso a casa. Tienen puestos de control esta noche, y no me gustaría que acabaras con un DUI."

Límites con Uno Mismo

Aunque nos hemos enfocado en trazar límites con los demás, también es importante que lo haga con usted mismo. Por ejemplo, desea llevar un estilo de vida más saludable, pero sigue consumiendo chocolate y aperitivos poco saludables. Para algunos, es más difícil trazar límites con uno mismo que con los demás.

Límites con la Comunidad

Cuando alguien se cuela mientras está esperando, ¿dice usted algo? Si ve a un padre abusando físicamente de su hijo en público, ¿dice o hace algo? Mientras espera en la consulta del médico, ¿utiliza su celular para hacer llamadas a pesar de que hay anuncios que sugieren no usar el teléfono?

Consejos útiles para establecer límites

1- Establezca límites con confianza —usted tiene el derecho a decir "No." No tiene por qué inventarse excusas sobre por qué no puede atender una petición. Puede decir, "No es algo que esté interesado en hacer." ¡Nadie puede discutirle que no esté interesado en hacer algo! Les puede molestar que no les esté complaciendo, pero siéntase cómodo con ello.
2- También está bien decir, "Tengo otros planes." Eso no es una mentira porque su "plan" sea quedarse en casa, relajarse y ver la televisión.
3- No se disculpe por decir "No." Continúe recordándose a sí mismo que es su derecho.
4- Tómese su tiempo para dar su respuesta. Es razonable pedir un tiempo para decidir. Evalúe si es algo que quiere hacer o no.
5- Si no está cómodo con la idea de atender la petición completa de la otra persona, dígale qué parte de la petición está dispuesto a atender.

¿Cuándo es buen momento para establecer límites?
1- Cuando está cuidando más de los demás que de sí mismo.
2- Cuando le piden compartir más sobre sí mismo de lo que se siente cómodo revelando.
3- Cuando le piden que haga algo que va en contra de sus valores.
4- Simplemente cuando no desea hacer algo.
5- Cuando empieza a sentirse agotado porque está dando demasiado.
6- Cuando está realizando todo el trabajo en la relación.

Está bien que exprese sus deseos y necesidades. Estos son algunos formatos que puede usar:
Me gustaría que tú _____ ; o, No me gusta cuando tú _____.

Si se siente incómodo con algo, podría utilizar lo siguiente: *Me siento incómodo cuando tú _____ (conducta específica). O, Por favor deja de _____.*

Relaciones y Co-Dependencia

Ejercicio 1 – Practique a establecer límites cuando le pidan que atienda una petición

Pongamos estas técnicas en práctica.

Piense en situaciones que impliquen una *petición o un favor*, y haga una lista a continuación:

1. _____
2. _____
3. _____

Utilizando los 4 pasos, escriba cómo procedería a establecer límites.

1- Admita que ha escuchado la petición.
2- Evalúe si la petición es algo que le gustaría atender o no.
3- Informe a la persona sobre si puede atender o no la petición.
4- Diga "Sí" o "No."

Por ejemplo: Entiendo que quieres que te preste dinero. No es algo que pueda hacer en este momento.

Situación 1: _____

Situación 2: _____

Situación 3: _____

Ejercicio 2 – Practique establecer límites cuando se sienta incómodo

Piense en situaciones que fueron *incómodas* para usted. Haga una lista a continuación.

1. _____
2. _____
3. _____

Ahora, exprese sus deseos y necesidades, o exprese su incomodidad. Por ejemplo, *me siento incómodo cuando te sientas demasiado cerca de mí.*

Situación 1: _____

Situación 2: _____

Situación 3: _____

LLAMADA A LA ACCIÓN: Practique el establecimiento de límites.

*Algunos contenidos han sido adaptados de **Anger Control Workbook** de Matthew McKay, PhD y Peter Rogers, Ph.D.*

Factores Estresantes, y Cómo Impactan su Comportamiento, Cognición y Emociones

Hoy vamos a hablar de factores estresantes. Los factores estresantes son proporcionales a la ira. Eso quiere decir que cuanto más estrés experimente, más posibilidades hay de que sienta ira. Un factor estresante es *cualquier* cambio, ya sea bueno o malo. Planear una boda puede ser un factor estresante, igual que cuando le roban el coche también lo es.

En las siguientes líneas, haga una lista de los factores estresantes en su vida.

_____

_____

_____

_____

Examinemos ahora cómo nos impactan nuestros factores estresantes. Nos impactan en cuatro áreas distintas: en nuestro comportamiento, nuestra capacidad cognitiva, emocional y físicamente. Los factores estresantes pueden afectar nuestro comportamiento, por ejemplo, contribuyendo al impulso de comer demasiado, beber alcohol, o fumar cigarrillos. Los factores estresantes pueden afectar nuestra capacidad cognitiva contribuyendo a tener pensamientos negativos, como: "No puedo manejar esto", "No voy a superarlo," o "Nadie me va a ayudar." Podemos experimentar depresión, ira, apatía, impaciencia, o baja autoestima debido a factores estresantes emocionales. Finalmente, los factores estresantes nos pueden impactar físicamente contribuyendo a que sintamos fatiga, dolor de pecho, tensión muscular, dolores de cabeza y alta presión arterial. Nos estamos enfocando en estas cuatro áreas, pero hay otras, como la espiritualidad, que pueden ser afectadas por los factores estresantes.

Cuando note cualquiera de los síntomas anteriores, es importante darse cuenta de que son señales de que está bajo estrés y que necesita hacer algo para abordar la tensión. A continuación vea una descripción visual de cómo escala el estrés con el tiempo.

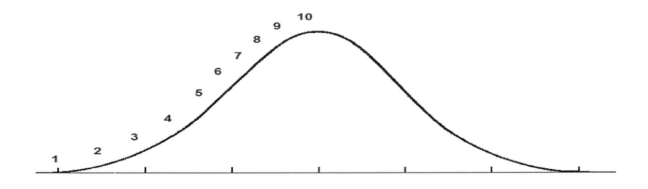

A medida que aumentan los números, también aumenta la gravedad de los síntomas. Por ejemplo, puede que en el 2 experimente una ligera tensión en el cuello. Si ignora la tensión cuando está en el 1 o el 2, mañana puede estar en el 4, y si continúa ignorándola, puede que al día siguiente no sea capaz de levantarse de la cama. El objetivo es aprender a abordar el cuello tenso cuando esté en el 2, aunque se sienta tentado a ignorarlo porque todavía no es algo grave. Estamos aquí para controlar nuestra ira, y la mejor manera de hacerlo es previniéndola. Al entrar en acción para abordar los síntomas de estrés de inmediato, cuando están en el 1 o el 2 en vez de en el 6 o el 7, aumentamos las posibilidades de regular nuestra ira. Esto se hace mucho más difícil en los números más altos.

¿Cuáles son las señales que le avisan de que usted está experimentando estrés? Puntúe la gravedad de su estrés basándose en sus síntomas. Por ejemplo, en el 2, empiezo a volverme olvidadizo. En el 6, me como un paquete de galletas, etc.

Nivel 2-4 Síntomas de Estrés:

_____

Nivel 5-7 Síntomas de Estrés:

_____

Nivel 8-10 Síntomas de Estrés:

_____

Los Síntomas de Estrés en el nivel 2-4 son los más fáciles de controlar.
Los Síntomas de Estrés en el nivel 5-7 son más difíciles de controlar.
Los Síntomas de Estrés en el nivel 8-10 le ponen en la zona de peligro.

¡No ignore los síntomas de estrés en los niveles bajos! HAGA ALGO AL RESPETO.....

Consejos para Controlar el Estrés

La palabra *estrés* fue acuñada por Hans Selye, un endocrinólogo pionero que realizó trabajos científicos sobre el asunto. Selye definió estrés como "la respuesta no-específica del cuerpo a una exigencia de cambio." El *estrés* es lo que experimentamos cuando algo plantea un desafío a nuestro bienestar, mientras que un *factor estresante* es el estímulo que desencadena el estrés. ¿Por qué es tan importante controlar su estrés? Si no cuida de sí mismo, el estrés puede llevarle a problemas graves de salud. Aunque algo de estrés nos siente bien, demasiado estrés puede resultar abrumador y debilitante. Si acarrea demasiado estrés y no lo trata adecuadamente, se arriesga a que se desborde en forma de malos comportamientos como hablarle mal a los que le rodean. Es normal sentir algo de estrés, pero cuando su nivel está por encima del 5 en una escala del 1 al 10, es importante reducirlo a un nivel que sea más manejable para usted. La siguiente es una lista de consejos para el control del estrés:

1. **HAGA PAUSAS:** Planee algunos descansos y reponga fuerzas. Eche una siesta para refrescarse.

2. **MANTÉNGASE HIDRATADO:** Mantenga su cuerpo hidratado. Beba mucha agua, y de vez en cuando un té.

3. **MANTÉNGASE ALEJADO DE LAS SUSTANCIAS:** Evite el uso de drogas o alcohol.

4. **EXPLORE SUS FACTORES ESTRESANTES:** Identifique lo que está provocando su estrés. Conocerlo es importante para que pueda hacer algo al respecto si así lo decide.

5. **OBSERVE SUS PENSAMIENTOS:** Contrarreste los pensamientos negativos y enfóquese en los que le pueden ayudar a superar una situación estresante. Los pensamientos negativos afectan los niveles de estrés.

6. **ESTABLEZCA PRIORIDADES Y ORGANICE:** Haga una lista de lo que es necesario hacer, y proceda con los asuntos que requieren atención inmediata. Haga planes para completar las tareas menos importantes más tarde.

7. **CONTROLE SU TIEMPO:** Organice las tareas con varias semanas de antelación. Seleccione bloques de tiempo durante la semana para realizar ciertas tareas. Establezca límites cuando sea posible. Delegue tareas cuando sea posible.

8. **HAGA EJERCICIOS DE RESPIRACIÓN:** Asigne varios periodos durante el día para practicar la respiración profunda.

9. **DIVERSIÓN Y RISAS:** Ríase y diviértase. El humor es una manera estupenda de reducir el estrés.

10. **ESCRIBA UN DIARIO:** Escribir un diario es un medio seguro de procesar factores estresantes.

11. **BUSCAR SOLUCIONES:** Identifique sus desencadenantes y busque soluciones. Ayuda a hacerlos más manejables.

12. **PERDONE:** Al guardar rencor se acarrea mucha energía pesada y negativa. Aprenda a perdonar para dejar marchar esa carga.

13. **BUSQUE APOYO:** Pida ayuda. Informe a sus amigos y familiares de que quiere su apoyo emocional. Organice un tiempo para hablar con ellos.

14. **COMUNÍQUESE:** Exprese lo que le preocupa a la gente cuando sea apropiado y posible. Aferrarse a sus frustraciones llevará a más estrés y preocupación.

15. **ESTÍRESE Y RELAJE LA TENSIÓN:** Practique algún ejercicio para liberar la tensión. Asegúrese de tomarse descansos para hacer estiramientos; ayuda a restablecer su cuerpo y su mente.

16. **HAGA EJERCICIO:** Caminar, trotar, hacer montañismo, o cualquier ejercicio que le resulte útil. Hacer ejercicio puede ayudarle a liberar endorfinas y dopamina, que ayudan a reducir los niveles de estrés. Además, tendrá mejor salud.

17. **COMER:** En tiempos de estrés, la gente come de más o de menos. Asegúrese de hacer una dieta equilibrada. Tome aperitivos saludables. Mantenga al mínimo las grasas y la cafeína.

18. **QUÉ ESTÁ BAJO SU CONTROL:** Concéntrese en las tareas que puede cambiar en vez de en las que no puede controlar. Aprenda a aceptar lo que tiene, y dejar de lado las cosas que no puede cambiar.

19. **ESTABLEZCA LÍMITES:** Tómese su tiempo antes de responder a peticiones. En vez de decir "Sí," piense en lo que implica la tarea, y examine si puede asumir la responsabilidad de manera realista.

20. **PARTICIPE EN ACTIVIDADES ARTÍSTICAS:** Participe en actividades artísticas y creativas como poesía, pintura, o leer un libro.

21. **MONÓLOGO POSITIVO:** Cree y revise una lista de declaraciones positivas sobre usted y su vida.

22. **MEDITE:** Una vez al día siéntese en silencio y vacíe su mente.

23. **HAGA ALGO QUE DISFRUTE HACIENDO:** Lea un libro, vea una película, o haga algo que usted considere una afición.

24. **ACTIVIDAD DIVERTIDA:** Ver a unos amigos. Pruebe a realizar una actividad divertida.

25. **INSPIRACIÓN:** Rodéese de fotografías y citas que le inspiren.

26. **GRATITUD:** Haga una lista de todas las cosas por las que está agradecido y revísela varias veces.

27. **APARIENCIA:** Vístase con sus mejores galas. Prepárese de la manera más atractiva posible.

28. **BAÑO CALIENTE:** Dese un baño o ducha caliente para relajarse.

29. **DELEGAR:** Delegue las tareas que puedan ser delegadas para que pueda concentrarse en las áreas más importantes.

30. **TOME EL SOL:** Salga a la naturaleza y absorba vitamina D.

31. **VITAMINAS:** Tome vitaminas que proporcionen nutrición y energía.

32. **RESISTA:** Resista el impulso de ser productivo todo el tiempo.

33. **LIMITE LA TELEVISIÓN:** este es un pasatiempo que por lo general no es agradable. Quiere encaminarse hacia una mayor conexión consigo mismo, no hacia la desconexión.

34. **CONSIÉNTASE:** Mímese con un masaje, una manicura, un tratamiento facial, o de cualquier otra manera.

LLAMADA A LA ACCIÓN: Esta semana elija sus consejos favoritos para controlar el estrés y practíquelos.

Técnicas de Búsqueda de Soluciones para Ayudarle

a Controlar el Estrés

En estos tiempos que vivimos, el estrés está en sus máximos niveles. Tenemos tanto de qué ocuparnos, incluyendo factores estresantes en el trabajo, la familia, las finanzas y responsabilidades. La tecnología, en vez de proporcionarnos un tiempo de relax, nos ha dado realmente más que aprender y que hacer, lo que puede resultar en menos relajación y horas de sueño. Cuando su vida empiece a parecerle inmanejable, empiece a prestar atención a sus factores estresantes. En vez de ignorar lo que ha de ser abordado, escríbalo, clarifíquelo, y busque soluciones al respecto.

El objetivo de aprender técnicas de búsqueda de soluciones es ayudarle a que sienta que está en mayor control de su vida. Cuando complete esta hoja de trabajo, tendrá una idea con la que tomar acción: algo que realmente puede *hacer* sobre sus factores estresantes en vez de sentirse abrumado y evitarlos. Recuerde, un factor estresante es cualquier cambio (positivo *o* negativo) que causa estrés. Por ejemplo, casarse es un acontecimiento feliz pero organizar el día de la boda y todo lo que conlleva puede ser muy estresante.

En la siguiente sección, haga una lista de sus factores estresantes actuales:

1.	5.	9.	13.
2.	6.	10.	14.
3.	7.	11.	15.
4.	8.	12.	16.

De la lista anterior, marque con un círculo las que puede cambiar, y ponga un cuadrado alrededor de las que cree que no tiene ninguna opción de afectar.

De las opciones que ha marcado con un círculo, seleccione un factor estresante para el que le gustaría encontrar soluciones ahora. Apunte la opción en la sección de búsqueda de soluciones "A" a continuación. De las opciones que no puede cambiar (las enmarcadas por un cuadrado), seleccione aquella que le gustaría procesar emocionalmente, y apúntela en "A" bajo la sección con el enunciado "Ser Compasivo."

Búsqueda de Soluciones

A. ¿Cuál es el problema o factor estresante?

_____

B. ¿Que le gustaría? ¿Cuál es su objetivo? (Pista: Por lo general el objetivo es lo opuesto al problema):

_____

C. Haga una lista de tres soluciones posibles. Asegúrese de no evaluarlas; hará eso en otro paso. (Pista útil: No critique sus respuestas cuando las escriba. Apunte cualquier idea que le venga a la mente)

      1. _____

      2._____

      3._____ _____

D. Evalúe cada opción de la lista anterior haciendo una lista de sus ventajas y sus desventajas.

Opción 1: _____

Ventajas	Desventajas
1.	1.
2.	2.

Opción 2: _____

Ventajas	Desventajas
1.	1.
2.	2.

Opción 3: _____

Ventajas	Desventajas
1.	1.
2.	2.

Control del Estrés

E. Seleccione su opción preferida y cree un plan de acción. (Su plan de acción incluye su objetivo para esta semana)

_____

_____

_____

_____

Ser Compasivo

A. ¿Cuál es el problema o factor estresante?

_____

B. ¿Que le gustaría? ¿Cuál es su objetivo? (Pista: Por lo general el objetivo es lo opuesto al problema):

_____

C. Haga una lista de tres maneras posibles en que podría tratar con su incomodidad y evalúelas dentro de las casillas a continuación. Algunos ejemplos incluyen escribir un diario, hablar con un amigo, hablar con su terapeuta, participar en una actividad relajante, y darse un masaje.

Opción 1:

_____

Ventajas	Desventajas
1.	1.
2.	2.

Opción 2:

_____

Ventajas	Desventajas
1.	1.
2.	2.

Opción 3:

_____

Ventajas	Desventajas
1.	1.
2.	2.

D. Seleccione su opción preferida y cree un plan de acción.

_____

_____

_____

Con frecuencia no se logran los objetivos porque hay obstáculos que se interponen por el camino. Piense en los obstáculos realistas que pueden interferir con su plan de acción. ¿Cómo puede encontrar soluciones para los obstáculos?

_____

_____

_____

_____

ESTABLECIMIENTÓ DE OBJETIVOS "INTELIGENTES" – Asegúrese de que su objetivo sea "INTELIGENTE."

1. **Específico** – Dice exactamente lo que va a hacer.
2. **Mensurable** - ¿Cómo sabrá que ha conseguido su objetivo?
3. **Apropiado** – Encaja con sus objetivos actuales.
4. **Realista** – Ni demasiado difícil, ni demasiado fácil de realizar.
5. **Tiempo** – Dice cuándo se completará el objetivo.

RESPONSABILIDAD

¿A quién le va a hablar de su objetivo? ¿Pueden pedirle cuentas? ¿Les informará de su plan y les dirá cuándo lo ha cumplido? Esto aumenta la posibilidad de que trabaje por su objetivo.

La Rueda de la Vida: Qué tan satisfecho está usted?

Cuando dejamos de poner atención a las cosas más importantes, nos sentimos perdidos, desconcertados o no balanceados. Para lograr un balance en nuestras vidas es útil examinar las partes más importantes para nosotros, como la salud, carrera, companeros romantico, amistades, etc. Desde esta perspectiva podemos asesorar nuestro nivel de satisfacción donde se necesita. Examine el párrafo que sigue y trate de imaginar su vida como una "rueda" donde las partes importantes de su vida la separan unas "barras".

Parte 1: Seleccione 8 categorías que son importantes para usted y utilícelos para rotular cada "barra". Puede escoger de los siguienes o agregar los suyos.

1. Pareja– amor, relación
2. Familia– padres, hijos, parientes
3. Social – amigos, actividades
4. Empleo/Carrera – satisfacción en el trabajo, colegas
5. Salud – dieta, ejercisio
6. Salud Mental – terapia, diario (escribir sentimientos), control de estrés
7. Diversión – felicidad, intereses, pasatiempos
8. Finanzar/ Dinero – salario, ahorros
9. Creatividad – pintar/dibujar, música, producir, escribir
10. Espiritualidad – meditación, religión
11. Progreso – aprender, educación, crecimiento emocional
12. Comunidad– ayudar, servir como voluntario

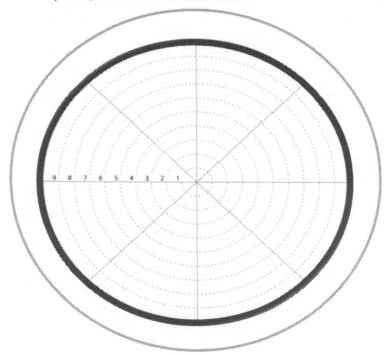

Parte 2: Pregúntese que tan satisfecho se siente en cada area ahora y en una escala de 0 a 10 en la que 0 es descontento y 10 es muy contento se seinte (Nota: Su nivel de satisfacción puede cambiar a diario o semanal. Sólo indique cómo se siente ahora. Recuerde que se trate de cómo se siente usted y no como creer que te ven los otros).

Parte 3: Senale los arcos que representan su grado de 0 (mitad del círculo) a 10 (final del círculo) en cada área.

Parte 4: Comenzando al centro de la rueda hacia fuera y obscurezca esa zona.

Parte 5: En su segunda "rueda", obscurezca las áreas como usted quiere verlas en el futuro. Hay un límite de horas en un día y días de la semana. No podemos poner 100% en cada área seimpre. Recuerde que cuando dedica más tiempo y esfuerzo en una área va a tener que dedicarle menos a otra. Sea realista!

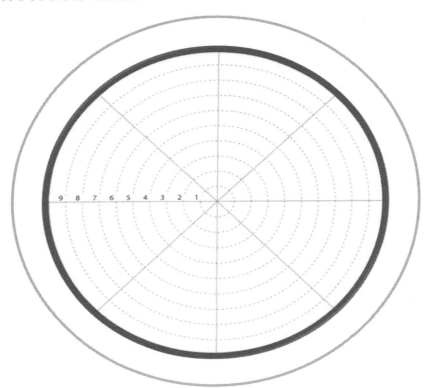

Parte 6: Qué medidas tomará usted para mejorar el nivel de satisfacción en las partes importantes de su vida?

_____

_____

_____

_____

Parte 7:Qué necesita para delegar o dejar de hacer para mejorar el nivel de satisfacción en su vida?

_____

_____

_____

_____

Llamada de acción: Reporte que tan satisfecho se encuentra más adelante.

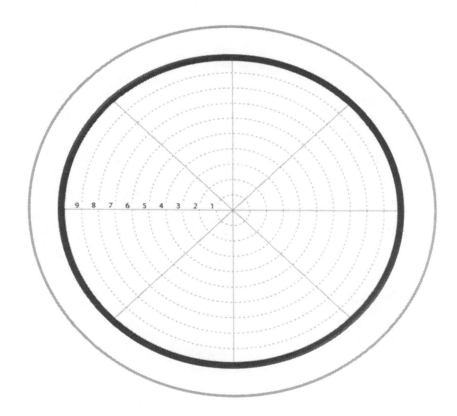

Cambiar, Acceptar y Dejarlo ir

A que estoy reaccionando?

¿Que me pasa?:
pensamientos, emociones, sensaciones

¿Cuál es el significado que estoy dándole?

Cuales son mis opciones?

DEJAR IR

- ¿Vale la pena?
- ¿Es algo que puedo dejar solo, y seguir adelante?

- ¿Es esto un hecho o una opinión?
- ¿Qué puedo hacer para cambiar esta situación ahora?
- ¿Qué tan importante es?
- ¿Qué tan importante es en un año?
- ¿Qué haría otra persona de esta situación?
- ¿Qué le diría a un amigo?
- ¿Cuál es el panorama general?

ACCEPTAR

- Es lo que es
- No tengo que estar de acuerdo juzgarlo, Bueno o malo
- Puedo revisarlo más tarde
- Puedo mantener mis opciones abiertas
- Es una reacción física
- Ya pasara

CAMBIAR

- ¿Que puedo cambiar?
  - ¿El ambiente?
  - ¿La situación?
  - ¿Mi reacción?
- ¿Cómo puedo hacer los cambios necesarios?
- ¿Qué recursos necesito?
- ¿Qué hago primero?

¿Qué puedo hacer para ayudarme/ a otros/ la situación ahora?

"Cuando ya no somos capaces de cambiar una situación, somos desafiados a cambiar nosotros mismos" Viktor Frankl

Evitar y Escapar

La mayoría de la gente asume que evitar una situación significa que no se está lidiando con los problemas que existen. Aunque puede que esto sea verdad, hay ciertas ocasiones en que evitar y escapar pueden realmente ayudarle a controlar una situación estresante de una manera más constructiva. A continuación hay unos ejemplos.

EVITACIÓN REFLEXIVA

Si se da un acontecimiento y su reacción inmediata es la ira, puede decidir que es mejor "pensar en ello." Esta es una acción inteligente si se toma una acción airada puede ponerlo en riesgo de herir a alguien o puede causarle algún tipo de pérdida, como una relación o un trabajo. Este tipo de evitación se denomina "**Evitación Reflesiva**" porque evadir temporalmente una situación que le enfada y regresar más tarde a ella en un estado mental más calmado puede ayudarle a generar mejores soluciones.

EVITACIÓN PLANEADA

Otra manera constructiva de utilizar la evitación se llama "**Evitación Planeada.**" Esto ocurre cuando usted identifica por adelantado una situación que ha causado ira con anterioridad, por lo que decide evitarla. Por ejemplo, si el tráfico de la hora punta siempre le acaba irritando, vea si puede reorganizar sus horas de trabajo para evitar la peor parte.

EVITACIÓN POR RETRASO

Esta es otra manera donde la evitación puede ser útil. Por ejemplo, si en el trabajo le piden que venga a trabajar un sábado, cuando usted ya ha hecho planes con la familia, responda con, "¿Te lo puedo decir mañana?" Este retraso le permitirá recuperar la compostura, considerar las posibles consecuencias de decir "no," considerar otras opciones, y después hacer esa llamada de teléfono con su decisión de una manera calmada y razonable. En otra situación, alguien le puede pedir algo cuando usted ya está enfadado acerca de otra cosa. Para evitar que la ira salpique esta nueva situación y le haga responder de una manera que normalmente no elegiría, dígale a la persona que tendrá que tomarse un momento para pensar en ello antes de responder. Simplemente este breve retraso le ayudará a que se le ocurra una respuesta más adecuada.

LA VENTAJA DE LA EVITACIÓN

La evitación puede ayudarle a comunicarse de modo más efectivo y conseguir el resultado que le gustaría. Distintas situaciones requieren distintas medidas. Por ejemplo, en un ámbito familiar, encontrar una solución alternativa a un problema es diferente que encontrar una solución alternativa en un ámbito laboral. En una familia, puede que los niños se porten mal y tengan que ser disciplinados. Si la manera en que expresa su desagrado con los hijos no es efectiva, puede que sea mejor pedirle a su pareja que lidie con la situación, especialmente si usted se siente fácilmente provocado a dar una respuesta demasiado airada. En un ámbito de trabajo, una solución alternativa cuando intente comunicarse con un colega que le enfada o le irrita sería mediante correo electrónico, memorándum, o cartas antes de manejarlo en persona y decir algo que pueda lamentar. Esta alternativa puede ser más efectiva y menos arriesgada.

ESTRATEGIAS PARA ESCAPAR

A veces es casi imposible evitar las situaciones que pueden provocar la ira, así que contar con unas cuantas estrategias de escape como las que siguen pueden ayudarle a *abandonar* una situación de "ira" que está surgiendo, o salir deprisa de ella incluso si ya está enfadado.

1. **Pausas:** Cuando dos personas están en una conversación agitada, a veces sus emociones se ponen al mando y la conversación se intensifica, así que hacer un descanso o una "pausa" puede ayudarles a que se calmen y regresen a la conversación con la mente más calmada. Con su pareja, puede emplear frases como, "Ahora estoy enfadado así que me gustaría que habláramos de otra cosa (o saliéramos a comer, o viéramos la televisión) durante un rato. Podemos intentar hablar de esto más tarde."

2. **Escape Pre-Planeado:** Si sabe de antemano que un encuentro particular con alguien va a ser probablemente desagradable e improductivo, puede que tenga sentido limitar la cantidad de tiempo que va a pasar en esa interacción. Puede incluso decir, "Solo tengo diez minutos," o "Puedo estar contigo hasta que empiece mi programa." Puede ayudarle a dejar sus emociones de lado y lidiar con el problema en cuestión con mayor eficiencia.

3. **Distracción:** Si continúa revisitando las cosas que le enfadan en una discusión, solo acabará enfadándose aún más. Distráigase. Vaya a la bolera, a un partido de béisbol o salga a cenar con un miembro de su familia. Probablemente se pondrá de mejor humor. No hable de las situaciones relativas a la ira. Si hay pensamientos airados que le invaden durante la actividad de distracción, deje que pasen y traiga su atención de vuelta al momento presente. La meta de esta técnica es romper el ciclo de reflexión obsesiva (pensar continuamente en lo que le enfada) con pensamientos y actividades competidores. Esto le permite retirarse de su ira, disfrutar de la distracción, y posiblemente figurarse una nueva perspectiva.

Tabla de Comportamiento Cognoscitiva Sana vs. Malsanas Creencias Enojadas

Creencia No Saludable	Pensamiento Perjudicial	Sentimientos	Comportamiento Destructivo	Consequencia
Las personas no son confiables.	Llamó enfermo el Lunes. El probablemente salió hasta la madrugada anoche y no quería entrar en el trabajo hoy.	Enojado, irritado, explotado, y despreciado.	Le pregunté si fue al médico. Le dije que no le creía.	Nunca volvió a trabajar. Sabía que estaba mintiendo. No puedo confiar en la gente.

Creencia Sana	Pensamiento Útil	Sentimientos	Comportamiento Constructivo	Consequencia
Es mejor ser comprensivo y dar el beneficio de la duda.	El tiene días de enfermedad que puede usar. He usado días de enfermos cuando me siento bien. El puede estar enfermo.	Cómodo, aceptando, compasivo, y comprensión	Cuando llegó a trabajar el día siguiente le pregunté cómo se sentía. Hizo bien con el trabajo.	Apriendo que ser flexible y comprensivo, fomento grandes relaciones de trabajo y aumento de la productividad de los empleados.

Creencia No Saludable	Pensamiento Perjudicial	Sentimientos	Comportamiento Destructivo	Consequencia
Tengo que gritar o ser agresivo, de los contrario la gente no van a escuchar o hacer lo que pido.	El camarero es estúpido por no escribir nuestra orden y sé que va a cometer un error.	Ansioso, preocupado de que va a recibir el orden equivocado. Necesidad de controlar la situatción.	Le digo al camarero que tiene que escribir la orden para que no cometa un error; de lo contrario hablaré con su manager.	El se siente intimidado y como resultado, arruina el orden. Mi familia se sintió avergonzada por mi comportamiento.

Creencia Sana	Pensamiento Útil	Sentimientos	Comportamiento Constructivo	Consequencia
La gente responde mejor cuando la cumunicacieón es asertiva y respetuosa	El camarero puede ser genial en recordar ordenes. Es sólo mi propio problema de confianza.	Estoy más cómodo con la idea de que recordará la orden. Se siente mejor tartar de confiar en el.	Le preguntaré si recordará la orden. Y le felicito por sus habilidades de memoria.	Tuvimos un agradable experencia con el camarero. Disfruté una comida agradable con me familia.

Ejercisio: Intente llenar las dos primeras filas. En las últimas dos filas trate de solucionar dos (una creencia sana y una malsana).

Creenica No Saludable	Pensamiento Perjudicial	Sentimientos	Comportamiento Destructivo	Consequencia
Todos los hombres enganan.				
Creencia Sana	Pensamiento Útil	Sentimientos	Comportamiento Constructivo	Consequencia
Soy adorable.				
Creencia No Saludable	Pensamiento Perjudicial	Sentimientos	Comportamiento Destructivo	Consequencia
Creencia Sana	Pensamiento Útil	Sentimientos	Comportamiento Constructivo	Consequencia

Pensamientos y Sentimientos Derrotistas y Potenciadores

La Teoría Cognitivo-Conductual sugiere que los pensamientos preceden a las emociones y las emociones preceden al comportamiento. Por tanto, si podemos hacernos conscientes de nuestros pensamientos, podemos aumentar el control sobre nuestras emociones, y finalmente, estar al mando con respecto a nuestro comportamiento.

Pensamientos Derrotistas

Los pensamientos derrotistas (PD) son pautas de pensamiento que afectan nuestro estado de ánimo negativamente. Básicamente, son maneras parciales e irracionales de vernos a nosotros mismos y al mundo que nos rodea. La siguiente lista incluye estilos de pensamiento negativos, junto con sus estilos alternativos, racionales, estilos auto potenciadores de pensamiento (PP).

1. **(PD) Pensamiento Polarizado**: ver las cosas en blanco y negro, malas o buenas, perfectas o fracasos totales, sin nada en medio. ("Mi madre era una persona horrible.")
   (PP) Pensamiento de Zona Gris: Dos o más cosas pueden ser verdad al mismo tiempo. ("Mi madre era muy fría y distante emocionalmente mientras yo crecía Y solía llevarme a tomar helado los sábados.")

2. **(PD) Generalización Extrema**: Utiliza palabras como "siempre" o "nunca" para describirse a sí mismo o al mundo que le rodea. Declara un solo evento, negativo como evidencia de un patrón sin fin. ("Nunca me ayudas.")
   (PP) Identificación de Acontecimientos Singulares: Identificar un acontecimiento como una ocurrencia singular. En vez de decir, "Nunca me ayudas," pruebe a decir, "Anoche no me ayudaste con los platos. **Me gustaría** que me ayudaras con ellos."

3. **(PD) Catastrofismo/Magnificación**: Exagera las cosas, hace montañas de granos de arena. ("No pasé mi examen de inglés. ¡Ya no podré graduarme en la universidad!"
   (PP) Colocarse Fuera de la Mente: Observar, como un testigo desapegado, lo que está sucediendo realmente a su alrededor, y entonces tomar los pasos necesarios para rectificar la situación. ("Si estudio mucho, aprobaré el examen final.")
   (SD) Esperar Desastres: "¿Y si ocurre una tragedia? ¿Y si me pasa a mí?"
   (SE) Considerar la Información: "Lo que le pasó es terrible, pero las posibilidades de que eso suceda son por lo general muy bajas."

4. **(PD) Culpabilizar:** Considera a otras personas responsables de sus problemas. O va al extremo opuesto y se culpa a sí mismo por todo lo malo que sucede.
   (PP) Re-Atribución: Identificar los factores internos dentro de nosotros o los factores externos en los demás que han causado realmente el problema. Después, cambiar el enfoque de las resoluciones.

5. **(PD) "Debería"**: Tiene una lista de reglas férreas sobre cómo usted y los demás deberían actuar. Cuando la gente rompe esas "reglas," usted se enfada mucho. Asimismo, cuando usted viola esas reglas, se siente extremadamente culpable.

(PP) Tener Expectativas Realistas: Admitir que somos humanos, no máquinas, nos permite tener expectativas más moderadas de nosotros y de los demás. *Asuma* que en ocasiones sus normas serán incumplidas. *Espere* que alguien vaya a cortarle el paso en la autopista.

6. **(PD) Filtro Mental**: Usted se enfoca en un pequeño, detalle negativo de una situación o acontecimiento particular y se ciega a sus aspectos positivos. Esto es como enfocarse en una gotita de tinta negra que flota en una bañera llena de agua limpia. ("Olvidé una de mis líneas esta noche. Tuve una actuación horrible."
   (PP) Evaluar en una escala del 1-10: Admitir que hay una gama de niveles posibles de "éxito" y "fracaso". ("A la audiencia le encantó la obra ¡y solo me olvidé de una línea!")

7. **(PD) Descontando lo Positivo**: Ver las experiencias positivas como "pura suerte", insistir en que "no cuentan" y disminuir su importancia.
   (PP) Análisis Coste-Beneficio: Hacer una lista de las ventajas y desventajas del pensamiento pesimista nos muestra lo que ganamos y perdemos debido a las distorsiones del pensamiento. La lista desequilibrada le guiará a la hora de elegir el estilo de pensamiento más beneficioso.

8. **(PD) Minimizar lo Negativo: (**lo opuesto de magnificar) Negar y racionalizar las faltas cometidas cuando se nos confronta con hechos irrefutables. Utilizar palabras y frases reduccionistas como "apenas," "una vez," "no es para tanto," "solo un poco," o "todo lo que hice fue."
   (PP) Asumir la Responsabilidad: Admitir todos los aspectos de una situación, incluyendo su propio comportamiento.

9. **(PD) Razonamiento Emocional**: Asumir que sus emociones negativas reflejan la manera en que las cosas son realmente solo porque usted las siente así: "Me aterra volar. Los aviones deben ser peligrosos."
   (PP) Encuestar: Preguntar a otros si sus pensamientos y actitudes son realistas.

10. **(PD) Etiquetado**: El etiquetado es una forma extrema de todo o nada de pensamiento. En vez de simplemente identificar lo que sucedió: "Cometí un error," se asocia a sí mismo con una etiqueta demasiado negativa: "Soy un perdedor." Cuando se etiqueta a otros, es una forma de abuso verbal.
    (PP) Definición: Examinar el *significado* de una etiqueta como "perdedor" revelará que representa comportamientos específicos, no a la persona al completo.

11. **(PD) Saltar a Conclusiones**: Hace suposiciones negativas sin pruebas que las apoyen.
    Leer la Mente: Usted decide lo que la gente está sintiendo y por qué actúan como lo hacen. En especial, asume que sabe cómo se siente la gente acerca de usted.
    Predicción del Futuro: Predice que las cosas van a salir mal, aunque la historia pasada es evidencia de lo contrario.
    (PP) Examinar las Pruebas: Buscar la existencia o la falta de de la misma experiencia que prueben/desmientan sus suposiciones.

Comportamientos Derrotistas

Uso de Herramientas de Comportamiento Cognitivo

Los comportamientos derrotistas (CD) son aquellos que impactan de manera negativa su bienestar físico. La siguiente es una lista de comportamientos derrotistas:

1. Abuso del Alcohol/Sustancias/Medicamentos / Fumar
2. Ver la televisión en exceso (i.e. más de 4 horas cada noche)
3. Consumo emocional de alimentos / atracones / pasar hambre
4. Conducir peligrosamente / poner a otros en peligro
5. Morderse las uñas/cutículas
6. Arrancarse el cabello
7. Cortarse/ mutilarse/ rascarse compulsivamente la piel
8. Romper cosas debido a la ira
9. Sexo excesivo/ sexo inseguro con múltiples parejas
10. Adiciones a Internet
11. Ejercicio excesivo/ Ser sedentario
12. Gastar en exceso
13. Apostar
14. Aislarse
15. Monólogos negativos

Comportamientos Potenciadores

Los comportamientos potenciadores (CP) son aquellos que impactan positivamente nuestro bienestar físico. Tenga en cuenta que la meta está en encontrar un equilibrio. La siguiente es una lista de comportamientos potenciadores:

1. Hacer ejercicio
2. Yoga/ ejercicios de respiración
3. Meditación/Relajación/Visualización
4. Tomarse vacaciones
5. Hablar con amigos/ terapeutas
6. Escribir un diario
7. Baños de burbujas
8. Ir a la playa/estar en plena naturaleza
9. Control de la salud/ Visitas rutinarias al médico
10. Aficiones como Pintar/Cantar/Poesía/Leer
11. Monólogos positivos
12. Tomarse descansos

Poniendo a Prueba las Creencias Tóxicas

Acerca de las Creencias

En Psicología Cognitiva Conductual, las creencias son lo que ha aprendido sobre usted, los demás y el mundo por medio de su entorno como su familia, amigos, escuela, trabajo o los medios de comunicación. Aprendemos de nuestras experiencias así como de la información que otras personas han compartido con nosotros. Las buenas noticias es que las creencias que resultan en comportamientos destructivos y sentimientos incómodos son aprendidas, con lo que se pueden desaprender. Cuando reemplaza una creencia tóxica con otra que es más útil, experimenta un cambio en su estado de ánimo y actitud; su percepción errónea de una situación puede cambiar. Su percepción mejorada de los pensamientos y sentimientos desagradables que subyacen a sus creencias le ayuda de hecho a construir relaciones más saludables.

Ejercicio para Poner a Prueba las Creencias Tóxicas Habituales:

Creencia:

"Una persona debería estar junto a su pareja en un evento social, o de lo contrario, no es una buena relación."

Examinar la Creencia:

1. ¿Quién dice que una persona tenga que estar pegado a su pareja en eventos sociales?
2. ¿Qué tan realista es esto?
3. ¿Cuáles son mis temores alrededor de mi pareja hablando con sus amigos? ¿Me preocupa que mi pareja encuentre a otros más interesantes o atractivos? ¿Me parece que otra gente presente en el evento criticará mi relación diciendo que es mala?
4. ¿Conozco alguna relación saludable y cálida en que los miembros de la pareja no estén pegados en todo momento durante eventos sociales?

Maneras más Saludables de Percibir el Ejemplo Anterior:

1. Es perfectamente normal que mi pareja tenga sus propios amigos.
2. Sé que aún me quiere hasta cuando está con amigos o en un evento o fiesta.
3. Es saludable pasar tiempo separados en una fiesta.

Determine sus Propias Creencias Tóxicas:

Escriba lo que cree que es una creencia tóxica en la siguiente línea:

1. Creencia Central:_____

2. ¿Qué porcentaje cree usted que esta creencia en verdadera? _____%

3. Haga una lista de pruebas que *no* apoyen esta creencia:

a _____

b_____

c_____

d_____

e_____

f _____

g_____

h_____

i_____

j_____

Ahora reescriba una creencia más saludable basándose en las pruebas listadas arriba:

1. Nueva creencia_____

2. ¿Qué pocentaje cree usted que esta creencia es verdadera? _____%

LLAMADA A LA ACCIÓN: Lea esta creencia durante la semana. Reconsidere al final de la semana, y otra vez a fin de mes. ¿Qué porcentaje cree usted que su creencia revisada es verdadera?

Mecanismos de Defensa

Los mecanismos de defensa son estrategias psicológicas habituales de afrontamiento que nos ayudan a lidiar con emociones no deseadas y altos niveles de ansiedad. Ocurren de manera inconsciente, lo que quiere decir que no nos damos cuenta de que las estamos utilizando, razón por la que es importante que nos hagamos conscientes de ellas, reconozcamos cómo aparecen y en qué forma, y cómo impactan nuestras vidas. Si bien los mecanismos de defensa pueden resultar útiles en una crisis, como una enfermedad o un desastre natural, seguir evitando la realidad y distorsionando la verdad se convierten en un problema nuevo cuando no se soluciona el problema original.

A continuación hay una lista de mecanismos de defensa. Se pueden usar de manera independiente o en una combinación de varios.

1. **Negación de la realidad** – La negación es una defensa contra la admisión y aceptación de una realidad, como la drogadicción de un ser querido, porque enfrentarse a la verdad es desagradable y doloroso. Al negar la realidad, se evita lidiar con ella. La negación, que puede comenzar a aparecer en la infancia, es uno de los mecanismos de defensa más primitivos.
   - *Por ejemplo, con frecuencia un abusador negará tener un problema, señalando el hecho de que su pareja continúa a su lado.*

2. **Mal Comportamiento** – Cuando alguien muestra sus emociones a través de conductas repetidas o extremas (gritar o golpear) en vez de expresar sus pensamientos y sentimientos más adecuadamente a través de la comunicación verbal, decimos que se está "portando mal." Seguramente alguien que se comporta de esta manera no confía en que nadie les escuche si *solamente* se comunican verbalmente. Expresan su dolor emocional físicamente lo que hace aún más difícil que consigan los resultados que desean. Habitualmente cuando una persona exhibe mal comportamiento, no calcula las consecuencias de sus actos.
   - *Por ejemplo, en vez de afirmar, "Me siento ignorado," una persona grita a su pareja, empleando lenguaje vulgar, y sale de la habitación dando un portazo.*

3. **Racionalización** – La racionalización consiste en justificar y crear excusas para nuestros actos en vez de decir la verdad sobre su motivación. Consiste en buscar una explicación para nuestras conductas y percepciones.
   a. *Por ejemplo, un hombre racionaliza haber golpeado a otro en un bar por mirar a su novia. En su mente, ningún otro hombre debería mirar nunca a su novia.*

4. **Desplazamiento** – El desplazamiento es la reorientación de los sentimientos e impulsos reprimidos causados por *una* persona o situación hacia *otra* persona que es menos amenazadora y que puede que no tenga nada que ver. La gente utiliza el desplazamiento cuando no se siente a salvo expresando su ira frente a la persona con la que están realmente enfadadas.

- *Por ejemplo: una mujer se enfada con su gerente, pero como es demasiado arriesgado mostrar su ira en el trabajo, llega a casa y se enfada con su marido o sus hijos. Así, está reorientando su ira de su jefe a su familia. Esto crea problemas adicionales: el problema original no se resuelve y ahora su marido y sus hijos tienen que lidiar con sus propios sentimientos.*

5. **Proyección** – La proyección se da cuando una persona cree que otra persona tiene los pensamientos y sentimientos que en realidad están teniendo ellos, pero que no pueden admitir (atribución errónea). Se utiliza este mecanismo de defensa cuando una persona está avergonzada de tener dichos sentimientos o pensamientos, por lo que los proyectan a otra persona.
   - *Por ejemplo, un hombre se puede enfadar porque cree que su mujer desea tener una aventura cuando en realidad es él quien tiene tales sentimientos.*

6. **Represión** – La represión es un mecanismo de defensa que capacita a una persona para bloquear pensamientos y sentimientos inaceptables o dolorosos, evitando que salgan a la luz de la conciencia, donde serían intolerables vivir con ellos diariamente. El lado bueno es que se pueden procesar estos recuerdos dolorosos con un terapeuta profesional para que la intensidad de los recuerdos disminuya y lo que los provoca pueda ser entendido y controlado .
   - *Por ejemplo, puede que una persona haya experimentado el trauma del abuso físico o sexual en la infancia por parte de sus padres o familiares, pero pueden haber "olvidado" por completo en la edad adulta. Han reprimido los recuerdos dolorosos para poder tener una relación cariñosa y cordial con su abusador en el presente.*

7. **Retraimiento** -   El retraimiento se da cuando alguien se torna pasivo y se guarda algo valioso o de interés para otra persona. Aunque por lo general esto se haga inconscientemente, es una respuesta a un dolor emocional previo, así que es una manera de proteger nuestra vulnerabilidad a ese dolor previo y las emociones y pensamientos no deseados que lo acompañan.
   - *Por ejemplo, una mujer indica a su pareja que desea tener relaciones íntimas con él. Cuando él no responde, ella se siente rechazada y se retrae de la relación durante toda la semana siguiente como manera de protegerse a sí misma a partir de este y otros, rechazos anteriores dolorosos en su infancia. Cuando él trata de abrazarla o de hablar con ella, hay una sensación de desconexión.*

8. **Disociación** – Una persona con "reacción de disociación" a un previo acontecimiento doloroso de su vida aísla ese recuerdo del estado ordinario de conciencia para poder continuar en el presente sin el dolor abrasador que causaría ese recuerdo. Pueden perder de vista su recuerdo de la situación. Es más probable que alguien se disocie si han tenido un historial de trauma o abuso infantil.
   - *Por ejemplo, un hombre en plena furia pierde los estribos y mata a otro hombre, pero más tarde cuando es arrestado y le preguntan qué pasó, no puede recordar los hechos.*

9. **Introyección** – La introyección ha ocurrido cuando una persona adopta los valores y opiniones de alguien más sin explorar si esos principios se ajustan a ellos. A menudo, una persona *introyecta* los valores y juicios de un padre demasiado crítico, con lo que sus propios pensamientos están llenos de *"deberías"* y *"no deberías."* Cuando una persona renuncia a sus propios valores y sigue los valores de los demás, esto puede llevar a relaciones personales insatisfactorias en la vida adulta porque no están siendo "ellos mismos." Puede que estas personas tengan una predisposición a representar sus sentimientos de manera agresiva o pasivo-agresiva.

   - *Por ejemplo, en el trabajo, uno de los socios continúa adaptándose a las ideas del otro a pesar de que él tiene sus propias buenas ideas y no está necesariamente de acuerdo con su socio. Con el tiempo, se va a resentir y exteriorizar su frustración de maneras que podrían poner su asociación y su negocio en peligro.*

10. **Deshacer** – Esto ocurre cuando una persona intenta inconscientemente reparar de manera superficial un comportamiento o pensamiento que fue ofensivo o hiriente. Esto les protege de tener que lidiar con los complejos efectos de la acción.

    - *Por ejemplo, una mujer que se siente culpable por su conducta sexual juvenil ahora limpia su casa sin parar ("Fuera, fuera, maldita mancha!") sin conectar conscientemente el acto de limpiar con su intento de "reparar" los actos del pasado.*

11. **Regresión** – La regresión se da cuando una persona retoma una conducta de un estadio menos maduro de la vida. Esto se hace inconscientemente, y por lo general cuando se están experimentando pensamientos indeseables, sentimientos y estrés.

    - *Por ejemplo, un hombre ha estado esperando un rato para que le den una mesa en un restaurante. Nota cómo otras personas que han llegado después que él consiguen una mesa antes que él. Esto provoca asociaciones inconscientes con rivalidad entre hermanos en la infancia. Reacciona de manera exagerada al instante, se aproxima a la recepcionista con hostilidad y le grita por atender antes las necesidades de los otros clientes en primer lugar.*

12. **Intelectualización** – La intelectualización se da cuando una persona oculta sus verdaderos pensamientos acerca de algo y en vez de ello se enfoca en sus creencias u opiniones.

    - *Por ejemplo, una mujer insiste en que no le molesta que su novio salga a comer con sus compañeras de trabajo, afirmando que es su derecho, que las mujeres son "simplemente amigas", y que ella no es "celosa", pero la verdad es que está herida, le hace sentir vulnerable, y está enfadada con su novio por necesitar hacer esto. Aún así utiliza explicaciones de lógica irrefutable para su conducta para evitar que tanto ella misma como él tengan el más leve conocimiento de cómo se siente de verdad.*

Ejercicio

Paso 1: Seleccione los tres principales mecanismos de defensa que utiliza, y describa **cómo** los utiliza.

1. Tipo de Mecanismo de Defensa: _____

    a. Cómo lo utiliza: _____
    _____

    b. Cómo ha impedido su crecimiento: _____
    _____

    c. Anote una estrategia de afrontamiento o acto alternativo que podría emplear en lugar del mecanismo de defensa en el futuro: _____
    _____

2. Tipo de Mecanismo de Defensa:_____

    a. Cómo lo utiliza: _____
    _____

    b. Cómo ha impedido su crecimiento: _____
    _____

    c. Anote una estrategia de afrontamiento o acto alternativo que podría emplear en lugar del mecanismo de defensa en el futuro: _____
    _____

3. Tipo de Mecanismo de Defensa:_____

    1. Cómo lo utiliza: _____
    _____

    2. Cómo ha impedido su crecimiento: _____
    _____

    3. Anote una estrategia de afrontamiento o acto alternativo que podría emplear en lugar del mecanismo de defensa en el futuro: _____
    _____

El Ego y la Ira

El Ego Nace

Cuando llegamos a este mundo, nuestras experiencias iniciales se relacionan con nuestros sentidos, nuestro entorno físico, los sonidos, los olores, los gustos, el tacto y otras personas, por lo general nuestra madre, padre, cuidadores y miembros de la familia. Un bebé es sensible a lo que está fuera del ser —a cómo otros le perciben— pero aún no es consciente del "ser." Si los demás le sonríen continuamente, el bebé se siente apreciado, y es en este punto donde el "Ego" o el Centro, nace. Nuestro ego es después formado y controlado por la Sociedad. Si nos comportamos de cierta manera, la Sociedad nos aprecia. Si no lo hacemos, la Sociedad nos rechaza y nuestro ego se siente herido.

Echemos un vistazo a algunos ejemplos para demostrar este punto: La persona detrás de usted en la fila de la caja en el supermercado hace un comentario diciendo que usted se está tomado demasiado tiempo para descargar su carrito de compras. En realidad, usted no ha resultado físicamente dañado por el comentario, pero su "ego" siente el pinchazo porque la imagen que tiene de sí mismo es la de alguien organizado y eficiente y que puede vaciar un carro rápidamente. Así que el comentario le hace enfadar.

El Ego y la Ira están altamente correlacionados.

Se puede dar una situación similar con las citas. Digamos que usted se considera todo un maestro en el mundo de las citas. Tiene la expectativa de que las mujeres le van a responder bien. Pero entonces en su tercera cita con una mujer ella le dice lo que le desagrada de usted, y expone las razones por las que no continuará viéndole. Su expectativa de que ella va a caer a sus encantos se va derecho a la alcantarilla. Se siente atacado. La imagen que tiene de sí mismo como un maestro de las citas recibe un gran golpe. Está enfadado.

De nuevo, el Ego y la Ira están altamente correlacionados.

Aunque es fácil ver como la imagen y las expectativas pueden ser amenazadas en este tipo de situaciones, la realidad es que en ninguna de las situaciones se ha hecho ningún daño. Nada ha cambiado. La vida es la misma de siempre. Aún así, percibimos una profunda resistencia dentro de nosotros y sentimos dolor emocional. Esto es el ego en operación, interfiriendo con nuestra capacidad para manejar estas situaciones con más gracia. Con demasiada frecuencia lo que ha sucedido es que un hecho en el *presente* ha provocado sentimientos de un hecho en el *pasado*, y por el momento no podemos distinguir entre los dos, o decir lo que es real y lo que no lo es. Por esa razón es importante que aprendamos todo lo que podamos sobre el *ego*, para que podamos manejarlo mejor y ahorrarnos mucho sufrimiento.

Alcanzando la Esencia

No Somos Nuestro Ego

El ego quiere que pensemos que el ego es *lo que somos*, pero en realidad no es así. El ego es el *reflejo de nuestro ser* pero no nuestro auténtico ser. Cuanto menos sepamos sobre nuestro auténtico ser, más vulnerables seremos a cómo nos perciben los demás. Si percibimos que no le gustamos a nadie, nadie nos aprecia o está de acuerdo con nosotros, entonces nuestro ego se siente negativamente impactado. Sentimos dolor y rechazo. Estamos dolidos. Pero no tiene por qué ser así.

Resistencia a Comprender el Ego

Cuando la realidad difiere de nuestras expectativas y cuando empezamos a experimentar emociones negativas como resultado de un golpe a nuestro ego, es habitual caer en la *resistencia*, lo que solo sirve para alejarnos de la verdad en vez de acercarnos a ella.

La *resistencia* juega un papel en nuestra experiencia del dolor y el malestar de diversas maneras:

> - Nos enfadamos cuando nuestra imagen es atacada o retada.
> - Nos sentimos traicionados cuando nuestra pareja quiere salir con otras personas.
> - Experimentamos ansiedad cuando nos preocupamos de que pueda pasar algo en el futuro que no deseamos.
> - Sentimos envidia cuando otros tienen algo que creemos que nosotros deberíamos tener.
> - Experimentamos soledad cuando no tenemos a alguien especial en nuestras vidas.
> - Experimentamos tristeza cuando queremos algo que no podemos tener.

¿Cómo Manejamos Nuestro Ego?

Es difícil ver nuestro propio ego, pero muy fácil ver el de otra persona. El reto está en ver el nuestro. Cuando más observemos a nuestro propio ego, más capaces seremos de no dejar que interfiera. Si participamos en cualquier tipo de práctica de auto-reflexión, como la meditación de atención plena, seguramente estamos familiarizados con el concepto del ego. Es la vocecita dentro de nosotros que lleva a la preocupación, la ansiedad y el sufrimiento. Nos separa del momento presente.

Piense en sus ansiedades. Por lo general tienen que ver con el futuro. "¿Y si _____ sucede?" Pero este futuro solo existe en nuestras mentes, y en ninguna otra parte. Usted manejará las situaciones a medida que surjan, pero no está confiando en que pueda manejarlas. De manera similar a la ansiedad que se relaciona con el futuro, al ego le encanta mantenernos en el pasado. Nos mantiene atascados en la vergüenza, la culpa y los errores que hemos cometido. Se pueden acabar convirtiendo en obsesiones. El objetivo es *liberarnos del ego* y hacernos conscientes de las ocasiones en que el ego interfiere durante una discusión.

Alcanzando la Esencia

Ejercicio:

Preguntas que hacerse a sí mismo cuando explore su ego:

1- ¿Hay algo de mi pasado que me molestó respecto a esta situación presente?

   _____

2- ¿Está mi preocupación sobre el futuro, impactando mis respuestas actuales?

   _____

3- ¿Me preocupa que si admito la responsabilidad por algo, mi pareja me verá como una persona *débil*?

   _____

4- ¿Me preocupa que al asumir la responsabilidad, se siente un precedente y de ahora en adelante seré yo el culpado?

   _____

5- ¿Lo que esta persona me dijo interfirió en cómo me percibo a mí mismo?

   _____

6- Si no tuviera un ego del que preocuparme, ¿cómo serían mis respuestas?

   _____

7- Si estuviera actuando desde un lugar de empatía y consideración por mi pareja, ¿cómo respondería de manera diferente?

   _____

Por Qué Es Difícil Perdonar

Perdonar es difícil, pero ¿por qué? Quizá por las siguientes razones:

1. **A menudo nos resistimos a soltar nuestra ira.** Una de las principales razones por las que nos enfadamos es para obtener o recuperar el control. Si todavía nos sentimos heridos en el presente, incluso años más tarde de que lo estuviéramos realmente, con frecuencia seguimos sintiéndonos enfadados. Y es evidentemente difícil, por no decir imposible, perdonar a alguien con el que aún estamos enfadados. Esto es cierto incluso aunque la razón predominante de que estemos enfadados no se deba a la frustración de haber perdido el control sino a la indignación frente a la injusticia que se ha cometido contra nosotros (ira frente a la injusticia). De la misma manera que la inflamación de los tejidos blandos solo sirve de algo durante los primeros días tras la herida original, causando a menudo más daño que la herida original si se permite que se haga crónica, la ira —sin importar la causa- si se le permite hervir sin ser dirigida hacia el logro de algo que merezca la pena, nos puede hacer mucho más mal que bien.

2. **Queremos satisfacer nuestro sentido de la justicia.** Incluso aunque no estemos enfadados, si creemos que la persona que nos ha ofendido no se merece nuestro perdón, puede que lo neguemos para evitar que parezca que justificamos lo que se nos hizo.

3. **Puede que nos parezca que el perdón es como dejar a nuestro ofensor libre sin castigo alguno.** Incluso aunque no nos parezca que el perdón implica que justificamos la injusticia cometida contra nosotros, puede que al soltar nuestra ira y perdonar a nuestro ofensor nos parezca que estamos dejando que se salgan con la suya sin ser castigados, especialmente si no existe la posibilidad de otro castigo.

4. **Deseamos herir como nos han herido.** Con frecuencia tomar ojo por ojo resulta visceralmente satisfactorio. Si carecemos del poder para hacer algún daño real, albergar ira puede parecer la mejor segunda opción. Guardar rencor hace en cierto modo que se sienta bien.

5. **No se han disculpado.** No se puede sobrestimar el poder de una disculpa para abrir el camino del perdón. Igualmente, tampoco se puede sobrestimar la capacidad de negarse a ofrecer una disculpa, o rechazar la admisión de que se ha hecho un daño, para bloquearlo.

6. **Cuando alguien comete una injusticia, con frecuencia dejamos de ver o creer que son capaces de nada bueno.** Tendemos a hacer una abstracción de los que nos han herido, disminuyéndoles del pleno derecho de seres humanos en "nuestros ofensores." Estos nos permiten negarse a permitir que en nuestra concepción de ellos se de ningún espacio para la posibilidad de que tengan características positivas o que tengan la capacidad de hacer nada bueno (bastante similar a la manera en que ellos también redujeron nuestra humanidad al completo a algún calificativo que les permitió herirnos para empezar).

¿Qué significa perdonar?

El perdón implica el reconocimiento de que la persona que nos hirió es *más que simplemente la persona que nos hirió*. Él o ella es en hecho, queramos reconocerlo o no, un ser humano adulto cuya dimensión completa no es definida por su decisión desconsiderada de hacernos daño de alguna manera (por mucho que deseemos que así fuera). En esencia, el perdón es el reconocimiento de que la persona que nos ha hecho daño aún tiene capacidad para hacer el bien.

El perdón requiere que percibamos a nuestro ofensor no como malévolo sino confuso, tanto es así que creen realmente que al hacernos daño pueden de algún modo ser más felices (a pesar de que casi con seguridad serían incapaces de articular eso como la razón). En segundo lugar, perdonar requiere que soltemos –nuestra ira: nuestro deseo de castigar o dar una lección; o nuestra necesidad de hacer daño al que nos lo ha hecho a nosotros; o la noción de que al elegir perdonar una ofensa estamos de alguna manera justificando una acción injusta cometida contra nosotros o cometiendo una injusticia nosotros mismos: de la necesidad de una disculpa, y de la necesidad de que nuestro ofensor cambie. Porque al perdonar su transgresión con nosotros, buscamos en definitiva liberarnos a nosotros mismos. Perdonar, como en el dicho popular, no significa olvidar. Ni tiene que significar que devolvamos al ofensor a la posición que tenía en nuestras vidas. Significa que seguimos adelante sanados de la herida que se nos ha infligido.

¿Cómo nos beneficia perdonar a los demás?

Perdonar a los demás es la única manera de romper el ciclo de la violencia (ya sea física o de otro tipo).

Para perdonar, debemos manifestar una condición vital de compasión.
En Nichiren Buddhism se denomina a esto la condición vital del bodhisattva. Un bodhisattva es alguien cuya preocupación más urgente recae en la felicidad de los demás. Conseguir esta condición vital no beneficia a nadie más que a nosotros, ya que es una condición vital de júbilo.

Para perdonar debemos desprendernos de nuestra ira. Si continuamos aferrados a nuestra ira, con frecuencia se desborda contra otros que no han cometido ningún crimen contra nosotros, además de colorear nuestras experiencias, con frecuencia arruinando nuestra capacidad para sentir alegría en muchos aspectos de la vida.

Encontrar la Compasión para Perdonar

Para exhibir compasión por el que nos ha hecho daño, primero debemos creer con nuestra vida que todo el mundo desea en principio ser feliz. A partir de ahí hemos de encontrar la manera de darnos cuenta de que nuestro ofensor ha fracasado completamente en la búsqueda de su propia felicidad y compadecerle como haríamos con un niño desencaminado. Porque sin importar lo sofisticada que pueda ser una persona, lo segura de sí misma e inteligente y exitosa, ¿cómo podría un intento de hacer daño surgir de cualquier otra cosa que el delirio?

Naturalmente surgirá la pregunta: ¿son tan atroces los crímenes de algunas personas que no se merecen el perdón? ¿Padres que han abusado de nosotros? ¿Hijos que se han rebelado contra nosotros? ¿Parejas que nos han abandonado? ¿Amigos que nos han traicionado? ¿Desconocidos que nos han hecho daño a nosotros o a nuestros seres queridos? ¿O incluso los tiranos que han matado a nuestras familias? ¿Merece Hitler, por ejemplo, el perdón? ¿Se puede perdonar a una persona sin perdonar sus acciones?

Simplemente sugiero una cosa: que si ve que se está aferrando a su rencor contra alguien que le ha dañado gravemente, que usted encuentre la manera de perdonarles –que usted se convierta en la clase de persona que puede- no solo le beneficiará en primer lugar a usted, sino que en definitiva puede tener el poder para transformar la vida de la persona a la que perdona. No siempre desde luego, pero en ocasiones. Y si lo hace, al perdonarles no solo se está liberando a usted mismo, sino que está contribuyendo a algo de la mayor importancia, algo que este mundo está pidiendo a gritos en más lugares de los que posiblemente pueda nombrar: la paz.

Apéndice A

Sentimientos Agradables

absorto	dedicado	independiente	aliviado
tolerante	encantado	inquisitivo	romántico
admiración	deseado	inspirado	satisfecho
admirado	determinado	interesado	a salvo
afectado	devoto	intrigado	sensación de
afectuoso	dinámico	placentero	pertenencia
vivo	deseoso	jubiloso	sensible
asombrado	sincero	exultante	sereno
animado	tranquilo	sagaz	significativo
cómodo	extático	bondadoso	inteligente
atraído	eufórico	liberado	aplacado
atractivo	hechizado	gustado	vivaz
bendito	alentado	lógico	estimulado
atrevido	energético	amable	exitoso
valiente	absorto	amado	soleado
radiante	entusiasmado	amoroso	apoyado
calmado	excitado	suertudo	certero
capaz	exuberante	contento	sorprendido
centrado	fascinado	notado	simpático
seguro	festivo	abierto	simpatía
retado	indulgente	optimista	tenaz
entusiasta	afortunado	dichoso	tierno
listo	libre	mimado	agradecido
cercano	amigable	apasionado	excitado
cómodo	satisfecho	pacífico	conmovido
confortado	alegre	juguetón	confiado
comprometido	generoso	complacido	comprensivo
compasivo	contento	positivo	único
competente	regocijado	productivo	valorado
interesado	agradecido	callado	querido
confiado	genial	apaciguado	cálido
conectado	asentado	receptivo	cariñoso
considerado	feliz	reconocido	completo
satisfecho	escuchado	refrescado	digno
audaz	esperanzado	rejuvenecido	juvenil
curioso	importante	relajado	
intrépido	impresionado	confiable	

Sentimientos Desagradables y Difíciles

abandonado	defensivo	cauteloso	picado
acusado	abatido	culpable	miserable
afligido	dependiente	odioso	receloso
exasperado	deprimido	desgarrado	maltratado
agresivo	privado	desesperado	incomprendido
agitado	desazón	dubitativo	ridiculizado
agonizante	miseria	desesperanzado	apenado
alarmado	desesperado	hostil	necesitado
alienado	despreciable	humillado	nervioso
solo	detestable	herido	despreocupado
acorralado	degradado	malhumorado	entrometido
tormento	decepcionado	impaciente	entumecido
irritado	desconectado	impulsivo	ofendido
ansioso	desanimado	inadecuado	ofensivo
horrorizado	asqueroso	incapaz	fuera de control
avergonzado	desilusionado	furibundo	indignado
atacado	desinteresado	indeciso	agobiado
embarazoso	conmocionado	indiferente	dolorido
malo	menospreciado	indignado	pánico
despreciado	insatisfecho	inferior	paralizado
beligerante	consternado	inflamado	fastidioso
traicionado	desconfiado	enfurecido	perplejo
amargado	dominado	lastimado	perturbado
culpado	incierto	insensible	pesimista
triste	apagado	insultado	molesto
asfixiado	avergonzado	interrogado	impotente
aburrido	vacío	airado	preocupado
rasgado	enrabietado	fastidiado	provocativo
planchado	excluido	irritable	provocado
atosigado	explotado	irritado	rabia
quemado	desprotegido	aislado	delirante
burlado	fatigado	celoso	rebelde
revuelto	temeroso	juzgado	imprudente
frío	forzado	lívido	rechazado
confuso	asustado	solitario	repugnante
controlado	frustrado	perdido	resentido
avasallado	echando humo	machacado	reservado
raro	rabioso	histérico	inquieto
aplastado	sufrimiento	malicioso	vengativo
engañado	gruñón	manipulado	reventado

abatido

aterrado

hirviendo

sensación de

pérdida

tembloroso

tímido

escéptico

enojado

apesadumbrado

rencoroso

frenético

embrutecido

abochornado

taciturno

suspicaz

lloroso

tenso

terrible

aterrorizado

amenazado

exasperado

huidizo

atormentado

torturado

trágico

atrapado

poco valorado

obscuro

incómodo

indeseado

intranquilo

infeliz

despreciado

desmotivado

desagradable

desvalido

invalidado

indigno

molesto

envarado

usado

inútil

inestable

vejado

victimizado

violento

irascible

vulnerable

harto

desdichado

alterado

consternado

perjudicado

Fuentes

Libros

Burns, D., M.D. (1990; 1999). *The Feeling Good Handbook*. The Penguin Group.

Cohen-Posey, K. (2000), *Brief Therapy Client Handouts.* Wiley Publishers.

Davis, M., Ph.D., Paleg, K., Ph.D. & Fanning, P. (2004). *The Messages Workbook*. New Harbinger Publications.

Eifert, G. H., Forsyth, J.P., Hayes, S.C., & McKay, M. (2006), *ACT on Life Not on Anger: The New Acceptance & Commitment Therapy Guide to Problem Anger.* New Harbinger Publications.

Greenberger , D., & Padesky, C. (1995). *Mind Over Mood: Change How You Feel by Changing the Way You Think*. The Guildford Press.

Johnson, S. L. (1997; 2004), *The Therapist's Guide to Clinical Intervention: The 123's of Treatment Planning.* Academic Press, San Diego.

Lickerman, A., M.D., (2012). *The Undefeated Mind on the Science of Constructing an Indestructible Self*. Health Communications. Deerfield Beach, Florida.

Mallody, P., Miller, A.W., Miller, J.K., (1989; 2003) *Facing Codependence: What it Is, Where it Comes from, How it Sabotages our Lives*. HarperCollins, San Francisco.

Mellody, P., & Freundlich, L.S., (2003). *The Intimacy Factor: The Ground Rules for Overcoming the Obstacles to Truth, Respect, and Lasting Love*. HarperSanFrancisco.

Potter, R.T., MSW, PhD. (2005), *Handbook of Anger Management: Individual, Couple, Family, and Group Approaches*. The Haworth Clinical Practice Press; The Haworth Reference Press; and imprints of The Haworth Press, Inc.

Schiraldi, G. R., Ph.D., & Kerr, M.H., Ph.D. (2002). *The Anger Management Sourcebook*. McGraw Hill.

Artículos de Revistas Especializadas

Ellis, A. (1991). The revised ABC's of rational-emotive therapy (RET), *Journal of Rational-Emotive and Cognitive-Behavior Therapy*, Volume 9, Number 3, Page 139.

Lund, R. (2014). Stressful social relations and mortality: a prospective cohort study, *The Journal of Epidemiology and Community Health*, doi:10.1136/jech-2013-203675.

Fuentes

Miller, R. (2013). Marital Quality and Health Over 20 Years: A Growth Curve Analysis, *Journal of Marriage and Family,* 75:3 (June 2013), pp. 667–680; doi: 10.1111/jomf.12025.

Pickering, M., Communication in explorations, *A Journal of Research of the University of Maine,* Vol. 3, No. 1, Fall 1986, pp 16-19.

Platt, Jim, *Crossing the Line: Anger vs. Rage,* Working@Dartmouth, http://74.125.95.104/search?q=cache:PviYnlwDmTAJ:www.dartmouth.edu/~hrs/pdfs

Sanford, K, (2010). Perceived Threat and Perceived Neglect: Couples' Underlying Concerns During Conflict, *Psychological Assessment, American Psychological Association,* Vol. 22, No. 2, pp. 288-297.

Smith, P. N., & Ziegler, D. J. (2004) Anger and the ABC model underlying Rational-Emotive Therapy, *Psychological Reports*, Vol. 94, pp. 1009-1014.

Sturmey, Peter. *Cognitive therapy with people with intellectual disabilities: A selective review and critique.* Clinical Psychology & Psychotherapy11.4 (2004): 222-232

Blogs y Fuentes Online

15 Common Defense Mechanisms. Psych Central. http://psychcentral.com/lib/15-common-defense-mechanisms/0001251

Active Listening Skills. AGING I&R/A TIPS. *Tip Sheet 1.* National Aging Information & Referral Support Center. http://www.nasuad.org/documentation/I_R/ActiveListening.pdf

Lickerman, A., M.D. (2012) *The Undefeated Mind: On the Science of Constructing an Indestructible Self.* Health Communications & http://www.happinessinthisworld.com

Mills, H., Ph.D., *Physiology of Anger.* http://www.mhcinc.org/poc/view_doc.php?type=doc&id=5805&cn=116

Osho. *Ego - The False Center.* Beyond the Frontier of the Mind. http://deoxy.org/egofalse.htm

Patterson, K. & Grenny, J. (2006). *Unresponsive Spouse.* http://www.crucialskills.com/2006/04/

Fuentes

Platt, Jim, *Crossing the Line: Anger vs. Rage,*
Working@Dartmouth, http://74.125.95.104/search?q=cache:PviYnlwDmTAJ:www.dartmouth.
edu/~hrs/pdfs

Shaadi.com and IMRB(2012). Survey: Couples Who Argue Together Stay Together,
http://imrbint.com/downloads/Shaadi.com%20-
%20IMRB%20International%20Report_FINAL_Latest.pdf

Vivyan, C. (2010). *What are My Options?*
www.getselfhelp.co.uk

Páginas Web

http://imperial.networkofcare.org/mh/
   (http://imperial.networkofcare.org/mh/library/article.aspx?id=367)
http://www.mayoclinic.org/healthy-living/adult-health/in-depth/anger-management/art-20045434

Sobre la Autora

La autora *Anita Avedian* está acreditada como Terapeuta Matrimonial y Familiar y practica en Beverly Hills, Tarzana, Sherman Oaks y Glendale, en California. Se graduó con su Masters en Psicología Educativa y completó dos acreditaciones incluyendo el Programa de Asistencia a Empleados y Recursos Humanos de la Universidad del Estado de California en Northridge. Sus especialidades incluyen trabajo con relaciones, ira, ansiedad y adicciones. Anita es la Directora de *Anger Management 818*, que asiste tanto a individuos independientes como a los compelidos por un juez para que busquen ayuda con su agresividad. Cuenta con seis centros en el área metropolitana de Los Ángeles que abarcan distintos programas para el control de la ira. Anita ha creado este programa con la colaboración de su personal. Anita Avedian es una entrenadora y supervisora autorizada por la *National Anger Management Association (NAMA)*, y ofrece un programa de certificación a aquellos interesados en la provisión de servicios para el control de la ira.

Anita participa de manera extensa en la comunidad profesional. Es la cofundadora de la *California Association of Anger Management Providers*, que es en la actualidad la división en California de la NAMA. Anita es la Fundadora de *Toastmasters for Mental Health Professionals*, y forma parte del Comité Directivo de la *Armenian American Mental Health Association*, la división de Valle de San Fernando del Programa de Asistencia a Empleados y Recursos Humanos, y prestó sus servicios en la división de Valle de San Fernando de la *California Association of Marriage and Family Therapists* durante muchos años.

Para obtener Principios del Control de la Ira

www.AngerManagementEssentials.com

o Amazon.com

Made in United States
Troutdale, OR
06/14/2024

20545076R20084